Sous la direction de Marcella Contardi

NOËL
à travers le monde

Illustrations de Carla Ruffinelli

Éditions Paulines – Médiaspaul – Novalis

L'édition originale de cet ouvrage a paru chez Edizioni Paoline
(© Figlie di San Paolo, Roma 1983), sous le titre
Natale: nella storia, nella letteratura, nelle tradizioni.

Traduction de l'italien: *Marie José Thériault*

Illustrations: *C. Ruffinelli*

Lettrines: *V. Venturi*

Conception graphique: *M.L. Benigni*

Composition et mise en page: *Les Éditions Paulines*

ISBN 2-89039-050-0

ISBN 2-7122-0243-0

ISBN 2-89088-234-9

Dépôt légal: 3e trimestre 1985 — Bibliothèque nationale du Québec, Bibliothèque nationale du Canada.

© **1985 Les Éditions Paulines**, 3965, boul. Henri-Bourassa est, Montréal, Qué., H1H 1L1

    Médiaspaul, 8 rue Madame, 75006 Paris

    Novalis, 375, rue Rideau, Ottawa, Canada, K1N 5Y7

A mes fils Bernard et François,
afin que Noël soit toujours pour eux
un moment de joie, de poésie et de bonté.

NOËL
DANS L'HISTOIRE

La naissance de Jésus

selon les Évangiles

l y a deux mille ans, l'empereur Auguste ordonna par décret le recensement de tous les habitants de l'empire romain.

Ce premier recensement eut lieu lorsque Quirinus était gouverneur de la Syrie. Chacun devait aller faire inscrire son nom dans les registres, à l'endroit même où il était né. Joseph aussi partit de Nazareth, en Galilée, et monta à Bethléem, la cité du roi David, en Judée.

Il devait se faire inscrire à cet endroit avec Marie, son épouse, qui était enceinte, puisqu'il était un lointain descendant du roi David.

Pendant qu'ils se trouvaient à Bethléem, Marie accoucha d'un fils, son premier né. Elle l'enveloppa de langes et le coucha dans la mangeoire d'une étable, puisqu'elle et Joseph n'avaient pas trouvé d'autre refuge.

Dans cette région, il y avait aussi des bergers.

Ils passaient la nuit à la belle étoile pour garder leur troupeau. Un ange du Seigneur leur apparut, et la gloire du Seigneur les enveloppa de lumière. Ils eurent très peur. L'ange leur dit: «N'ayez pas peur! Je vous apporte une bonne nouvelle qui réjouira tout le peuple. Aujourd'hui, dans la cité de David, vous est né un Sauveur, Christ, Notre-Seigneur. Vous le reconnaîtrez à ce signe: vous trouverez un enfant enveloppé de langes et couché dans une mangeoire.»

Aussitôt, d'autres anges apparurent et vinrent se joindre au premier. Tous ensemble, ils louaient Dieu avec ce cantique:

«Gloire à Dieu au plus haut des cieux et paix sur la terre aux hommes qu'Il aime!»

Puis, les anges s'éloignèrent des bergers et retournèrent au ciel.

Pendant ce temps, les bergers se disaient l'un à l'autre:

«Allons jusqu'à Bethléem pour voir ce qui est arrivé et que le Seigneur nous a annoncé!»

Ils se rendirent en toute hâte à Bethléem où ils trouvèrent Marie, Joseph, et l'enfant endormi dans la mangeoire. Après avoir vu, ils firent connaître ce qui leur avait été dit au sujet de cet enfant.

Tous ceux qui écoutaient les bergers étaient émerveillés par leur récit. Marie, de son côté, conservait précieusement le souvenir de ces événements, et elle les méditait en son coeur.

Sur la voie du retour, les bergers louaient Dieu et le remerciaient pour ce qu'ils avaient vu et entendu, car tout était arrivé comme l'ange le leur avait dit.

(Luc 2,1-20)

...Après sa naissance, on vit arriver à Jérusalem des sages qui venaient d'Orient et qui demandèrent: «Où est donc l'enfant qui vient de naître, le roi des Juifs? En Orient nous avons vu apparaître son étoile et nous sommes venus lui rendre hommage.»

Ces paroles mirent en émoi tous les habitants de Jérusalem, en particulier le roi Hérode. Dès qu'il les eut entendues, il réunit les docteurs de la loi et leur demanda: «En quel lieu doit donc naître le Messie?»

Ils répondirent: «A Bethléem, en Judée, parce que dans la Bible il est écrit:

Toi, Bethléem, du pays de Judée,
Tu n'es pas la moindre des cités de Judée,
Entre tes murs naîtra un chef
Qui guidera mon peuple, Israël.»

Alors, le roi Hérode appela en secret ces mages venus de loin pour qu'ils lui disent quand, exactement, était apparue l'étoile. Puis il les envoya à Bethléem en leur disant: «Allez, et cherchez l'enfant. Quand vous l'aurez trouvé, revenez me le dire, de sorte que je puisse moi aussi aller l'adorer.»

Munis de ces instructions de la part du roi, ils partirent. En route, l'étoile qu'ils avaient vue en Orient leur apparut encore et les remplit d'une grande joie. L'étoile bougeait au-dessus d'eux et les guida jusqu'à la maison où se trouvait l'enfant. Elle s'y arrêta. Les mages entrèrent et virent l'enfant et sa mère, Marie.

Ils s'agenouillèrent et adorèrent l'enfant, puis ils ouvrirent leurs bagages et lui offrirent des présents: de l'or, de l'encens et de la myrrhe.

Plus tard, Dieu leur apparut en rêve et leur dit de ne pas retourner chez Hérode. Ils prirent un autre chemin et ils rentrèrent dans leur pays.

(Matthieu 2,1-12)

NOËL
DANS LA LITTÉRATURE

L'attente

ans quitter des yeux le soleil qui se couchait, le vieillard donna l'ordre d'interrompre le travail.

«Cherchez un refuge là-bas, à l'abri de cette paroi rocheuse qui couvre le flanc de la colline. Rassemblez les bêtes.»

Ils jetèrent leur lourd fardeau par terre et se mirent à explorer les lieux. Le vieillard aussi était fatigué: son visage était marqué par la souffrance.

Peu après, son fils revint et lui dit: «Père, ta couche est prête. Viens.»

Le vieillard s'étendit sur un matelas d'herbe et de paille que son fils avait préparé dans une grande cavité du roc, bien à l'abri du vent et des intempéries.

— Il ne sert à rien d'allumer les feux; l'orage va bientôt nous rejoindre et il les éteindrait. Mangez, et allez dormir.

La tempête se déchaîna. Ce fut un déluge.

Le vieillard dit: «Nous ne courons aucun danger; soyez sans inquiétude.»

Peu à peu l'orage s'apaisa, et tous sombrèrent dans un profond sommeil.

Tous, sauf le vieillard.

Les yeux ouverts, il songeait aux vicissitudes anciennes et récentes de sa tribu.

Immobile dans le silence, il retournait en pensée à l'origine de sa race, à l'éclosion des tribus nomades d'Israël, aux migrations en Égypte, aux longs siècles de vie subordonnée aux Pharaons, aux chemins suivis par ses ancêtres, à la longue soif dans le désert d'Horeb, à Dieu, apparaissant à Moïse sur le Sinaï. Maintenant, la terre promise était là, devant lui, et il lui semblait que la main du Patriarche se levait pour bénir ce peuple élu et le pays verdoyant que Dieu lui avait donné.

Le vieillard joignit ses mains; elles lui parurent tout à coup moins ridées par la fatigue. Il se leva et sortit de la grotte pour admirer le silence de la nuit.

Le souvenir de Moïse lui fit oublier un moment la pauvreté et l'esclavage qui les condamnaient, lui et les siens, à une vie de misère et d'errance sans fin. Il regarda le sol que la pluie avait transformé en bourbier. Des rigoles coulaient par sanglots des montagnes, comme des larmes bues par une terre inquiète.

La voûte du ciel laissait paraître des taches palpitantes d'étoiles, et dans le silence immobile de la campagne le vieillard eut l'impression que leur faible lueur était la seule chose vivante en ce monde, avec son cœur troublé.

«Je suis le Dieu d'Abraham, d'Isaac et de Jacob; je suis Dieu, ton Père. Ne crains rien, car je suis avec toi.»

(Genèse 26,24)

Cette pensée rassura le berger qui répéta mentalement les paroles, pas à pas, jusqu'à ce qu'il les dise à son peuple endormi.

Il regarda les houes grossières, les bâtons: aux premières tiédeurs printanières, cette croûte de terre rude, labourée à grand-peine pour les semences, allait donner ses premières pousses tendres. Une voix prophétique caressa encore une fois la vision que les profondes ténèbres de la nuit semblaient faire naître d'un songe:

«Un rameau sortira de la souche de Jessé,
un rejeton poussera de ses racines.
Et sur lui reposera l'esprit du Seigneur:
esprit de sagesse et d'intelligence,
esprit de conseil et de force,
esprit de connaissance
et de crainte du Seigneur.»

(Isaïe 11,2)

Le Prophète dit encore:

«Oui, comme la neige et la pluie
une fois descendues du ciel n'y retournent pas
avant d'avoir arrosé la terre,
de l'avoir fécondée et fait produire,
d'avoir assuré la semence au semeur,
et le pain à manger,
telle est ma parole:
une fois sortie de ma bouche,
elle ne me revient pas sans effet,
sans avoir accompli mon vouloir
et mené à bonne fin la mission que je lui ai confiée.»

(Isaïe 55,10-11)

Le souvenir de la Promesse et de l'Alliance fait son chemin dans le cœur du vieillard; il se rappelle ces paroles qu'il a entendues depuis son enfance. Sans doute n'en connaît-il pas le sens profond, mais il perce tous les secrets de la terre, il est près de la vie par son amour de la nature, son amour pour ses fils, et pour ces brebis qui suivent docilement le bâton qui les guide vers de bons pâturages que ni Auguste ni Hérode ne leur procurent, mais qui leur viennent de la providence du Dieu d'Abraham. Ce Dieu, le vieillard le sait bien, a créé les poissons de la mer et les oiseaux du ciel... il bénit chaque jour l'aube et le crépuscule et il calme les inquiétudes de la nuit.

Le vieillard retourna vers les siens et observa leurs chaussures usées, signes évidents d'une longue et fastidieuse route. Il remarqua l'abandon de leur sommeil; il se pencha sur son fils dont il caressa le front comme pour lui transmettre une bénédiction pleine d'espérance, et il se mit à pleurer.

Le bruit des sabots de chameaux rompit la douceur intime de ce moment. Le vieillard tressaillit.

Le fils s'éveilla et, voyant son père encore debout, en fut préoccupé.

— Mon père, pourquoi ne dors-tu pas? Il fait nuit, il fait froid, ton visage est marqué par la fatigue et tu me sembles souffrant.

— Regarde là-bas, dit le vieillard.

A l'horizon ils virent la silhouette transparente d'une caravane fatiguée. Les ombres apparaissaient et disparaissaient, presque enve-

loppées de nuages bas et menaçants. La démarche ondoyante des chameaux faisait se balancer la tête des voyageurs.

— Qui peut donc voyager par une nuit sans lune? Des brigands, sans doute.

— Non, répondit le garçon. Ce sont des Galiléens qui se rendent en ville pour le recensement ordonné par le roi. Les auberges sont pleines d'étrangers. Peut-être ceux-ci voyagent-ils de nuit parce qu'ils n'ont trouvé nulle part de refuge…

La caravane poursuivit sa route, lente et mystérieuse, très loin, jusqu'à ce qu'elle se perde dans la nuit.

— Père, continua le garçon, ton âme est remplie d'angoisse et tes yeux sont humides de larmes. Viens, repose-toi près de moi, je veillerai sur ton sommeil jusqu'au matin. Je ne sais pas ce qui émeut ainsi ton cœur, mais je veillerai sur toi pour que l'aube ne te trouve pas sans force, et pour que ton esprit se libère des cauchemars de la nuit.

L'amour de son fils réconforta le vieillard comme l'avait fait la parole du prophète, et le regard rassurant du jeune homme fit naître en lui un peu d'espoir.

— J'ai honte, murmura-t-il, parce que je sens la vieillesse me peser comme un fardeau inutile, et mon esprit est confus. Les prophètes nous ont indiqué la voie de la sagesse, mais mon âme est enveloppée de ténèbres.

Le vieillard ferma les yeux et, jusqu'à ce qu'il s'endorme, ses lèvres murmurèrent doucement: «Seigneur, tu es bon et clément, plein d'amour pour tous ceux qui t'invoquent.»

(Psaume 86,5)

«…Car autant les cieux sont élevés au-dessus de la terre,
autant son amour est puissant pour qui le craint.
Autant l'Orient est éloigné de l'Occident,
autant il éloigne de nous nos manquements.»

(Psaume 103,11-12)

Ainsi le vieillard ferma les yeux et il mit toute sa confiance dans cet espoir lointain.

Le jeune homme, assis près de son père, le protégeait avec vénération. Il avait compris quelle nostalgie tourmentait son cœur.

Le moment choisi pour l'avènement du Messie annoncé par les prophètes était arrivé. L'anxiété de son père était très justifiée par la forte et parfois cruelle domination romaine. Ce jeune homme aussi aspirait à une vie libre, à être maître sur sa propre terre.

Il se souvint lui aussi des textes sacrés:

«Peuple, une même loi vous régira, vous et l'étranger domicilié. C'est une loi perpétuelle pour vos générations: vous et l'étranger vous serez égaux devant l'Éternel. Même loi et même droit existeront pour vous et pour l'étranger habitant parmi vous.»

(Nombres 15,15-16)

Réconforté par cette promesse, le jeune homme fixa longuement son père. Il se souvint alors du rêve de Jacob:

«La terre sur laquelle tu couches,
je la donnerai à toi et à ta descendance.
Ta descendance sera pareille à la poussière du sol,
tu te répandras à l'occident et à l'orient,
au nord et au sud. En toi et en ta descendance
seront bénies toutes les nations de la terre.»

(Genèse 28,13-14)

Pendant ce temps, le vieillard demeurait immobile, le regard tourné vers ce ciel qui semblait être sa demeure convoitée, et le désir qui régnait dans son coeur lui monta aux lèvres: «De ta grâce, Éternel, la terre est remplie: enseigne-moi tes préceptes.»

(Psaume 119,64)

Tout autour, la paix profonde de la nuit était caressée par une délicieuse brise, tandis que la rosée commençait à marquer de gris argent tous les contours, annonçant ainsi que le jour était proche.

Le jeune homme n'était pas tranquille non plus. Il avait l'habitude de camper à la belle étoile, mais il avait de plus en plus le sentiment que cette nuit n'était pas une nuit comme les autres.

Il était attentif au moindre bruissement, il observait le ciel, ce ciel qui ne paraissait pas vouloir s'ouvrir aux lueurs de l'aube.

Tout à coup, il vit apparaître à l'horizon des éclairs de lumière qui ressemblaient à des étoiles filantes, et un noyau particulièrement

brillant se détacha d'eux. Il avait une chevelure lumineuse, et une queue le suivait comme un étendard.

L'étoile se dirigeait vers Bethléem.

— Qu'arrive-t-il? songea le jeune homme.

Mais il n'eut pas beaucoup le temps de réfléchir, car à l'endroit où se dirigeait l'étoile, une lumière pareille à celle de l'aube peu à peu grandissait et finit par tout envahir.

Les bergers s'éveillèrent terrifiés, mais une voix suave les rassura:

«— Soyez sans crainte. Je vous apporte une nouvelle qui comblera tout le peuple de joie. Aujourd'hui, dans la cité de David, est né le Sauveur, Christ, Notre Seigneur. Vous le reconnaîtrez à ce signe: vous trouverez un enfant enveloppé de langes, couché dans une mangeoire.»

(Luc 2,10-12)

Un cantique s'éleva:
«Gloire à Dieu au plus haut des cieux et paix
sur la terre aux hommes de bonne volonté.»

(Luc 2,14)

24

La lumière pâlit, mais la stupeur de ces gens qui tournaient sur eux-mêmes, incrédules et comme hébétés, ne diminua pas.

Le vieillard se sentait sur le point de défaillir, tant il était ému.

Ils abandonnèrent tout, et partirent pour Bethléem.

La caravane des bergers malingres serpentait lentement, laissant derrière elle une trace lumineuse, tandis que de partout résonnaient doucement les paroles du prophète Isaïe:

«Un enfant nous est né,
un fils nous est accordé:
la souveraineté repose sur son épaule,
et on l'a appelé
Conseiller-merveilleux, Dieu-fort,
Père-éternel, Prince de la Paix.»

(Isaïe 9,5)

Arrivés à la grotte, les bergers virent ce que l'ange leur avait annoncé: Marie, Joseph, et l'enfant qui dormait dans la mangeoire.

Le vieillard comprit que cette mangeoire était un autel royal, et il dit en tremblant:

«Voici l'agneau de Dieu.»

Il n'osait pas s'approcher, mais le regard de l'enfant pénétra si profondément en lui qu'il effaça toutes ses craintes, ne laissant place qu'à une joie sans bornes.

Marcella Contardi

La vision de l'Empereur

n ce temps-là, Auguste était empereur à Rome, et Hérode roi de Jérusalem. Alors il arriva qu'une grande et sainte nuit descendit sur la terre.

Jamais on n'avait vu une si profonde nuit: toute la nature paraissait suffoquer, on ne distinguait plus la terre de l'eau. On s'égarait au long des sentiers les plus connus.

Aucun rayon de soleil ne descendait du ciel. Les étoiles étaient restées dans leur demeure, la lune avait tourné la tête. Comme les ténèbres, le silence et le calme étaient profonds. Les fleuves avaient arrêté leur cours, le vent ne soufflait pas, les feuilles ne tremblaient plus. Au bord de la mer, les vagues ne se brisaient plus sur le rivage, dans le désert, le sable ne crissait plus sous les pieds.

Tout restait immobile et pétrifié pour ne pas déranger cette sainte nuit. L'herbe n'osait plus pousser, la rosée ne tombait pas, les fleurs n'exhalaient plus leur parfum.

En cette nuit, les animaux de proie ne chassaient pas, les serpents ne mordaient pas, les chiens n'aboyaient pas.

Et, chose plus admirable encore, les objets inanimés n'auraient pas voulu profaner la sainteté de la nuit en se prêtant à un acte criminel: aucune clé n'aurait pu forcer une serrure, aucun couteau n'aurait pu faire couler le sang.

Cette nuit-là, un petit cortège descendit des villas impériales du Palatin et, traversant le Forum, monta vers le Capitole. Dans la journée, les sénateurs avaient présenté un projet à l'empereur: la construction, en son honneur, d'un temple sur la colline sacrée de Rome.

Mais Auguste, ne sachant pas s'il plairait aux dieux qu'il ait un temple à côté des leurs, avait répondu qu'il souhaitait d'abord sonder la volonté des immortels par un sacrifice nocturne à son Génie.

Et c'était lui, Auguste, qui, à cette heure, en compagnie de quelques amis fidèles, se rendait au lieu du sacrifice.

Auguste se déplaçait en chaise à porteurs: il était âgé, et les longs escaliers du Capitole le fatiguaient.

Il tenait lui-même la cage enfermant les colombes du sacrifice. Aucun prêtre, ni soldat ni conseiller ne l'escortait, seuls ses amis les plus intimes. Des porteurs de torches le précédaient et lui ouvraient le chemin dans ces ténèbres inextricables. Des esclaves le suivaient avec le trépied, du charbon, des couteaux, le feu sacré, et tout ce qui était nécessaire à l'offrande.

En chemin, l'empereur conversait gaiement avec ses confidents. Personne ne remarqua le terrifiant silence de la nuit. Ce fut seulement lorsqu'ils arrivèrent au sommet du Capitole, à l'endroit choisi pour l'érection du nouveau temple, qu'ils sentirent qu'il se passait là quelque chose d'extraordinaire.

Ce n'était pas une nuit comme les autres. A la pointe extrême du rocher, ils aperçurent un être étrange. D'abord ils crurent voir un tronc d'olivier tordu, ensuite une antique statue du temple de Jupiter, enfin ils songèrent qu'il ne pouvait s'agir que de la vieille Sibylle.

Ils n'avaient jamais rien vu d'aussi vieux, d'aussi terrifiant, d'aussi consumé par le temps. C'était une apparition terrible, et n'eût été la présence de l'empereur, ils se seraient tous enfuis.

— C'est elle, murmurèrent-ils. Elle, qui a autant d'années que le sable a de grains. Pourquoi est-elle sortie de sa caverne justement cette nuit? Que vient-elle annoncer à l'empereur et à l'empire, elle qui d'habitude écrit ses prophéties sur les feuilles des arbres en sachant que le vent emporte l'oracle à ceux qui en ont besoin?

Dans leur terreur ils se seraient jetés à genoux et prosternés si la Sibylle avait fait un seul mouvement. Mais elle était immobile comme les pierres. Assise au bord du rocher, le corps incliné vers l'avant, elle scrutait la nuit, sa main appuyée contre son front. On aurait dit qu'elle était montée là pour mieux voir au loin.

Ses yeux pouvaient donc voir à travers une nuit aussi épaisse?

L'empereur et ceux qui l'accompagnaient constatèrent alors combien la nuit était profonde, impénétrable et silencieuse. L'air était suffocant, une sueur froide perlait à leur front, mais personne n'osait manifester sa peur. Ils dirent à Auguste qu'il était de bon augure que la nature entière retienne ainsi son souffle pour saluer un nouveau dieu, et qu'il convenait de se presser, puisque la vieille Sibylle était sortie de sa caverne pour lui rendre hommage.

Mais la Sibylle était si remplie de sa vision qu'elle ne se rendait

même pas compte de la présence d'Auguste au Capitole. Elle était transportée en esprit dans un pays lointain et cheminait dans une vaste plaine obscure.

Elle trébuchait à chaque instant, et marchait au milieu d'immenses troupeaux endormis. Elle apercevait les feux des bergers qui gardaient leur bâton à leur portée afin de défendre les brebis des bêtes sauvages. Mais les fauves aux yeux brillants vinrent se coucher près des hommes. Remplie de ce spectacle, la Sibylle ne voyait rien de ce qui se passait derrière elle. Elle ne savait pas qu'on avait déjà dressé l'autel, allumé les braises, répandu l'encens, et que l'empereur s'emparait d'une des colombes pour l'immoler.

Les mains d'Auguste étaient si engourdies que, d'un coup d'aile, la colombe s'enfuit dans les ténèbres. Alors, les courtisans jetèrent des regards soupçonneux sur la vieille Sibylle qu'ils croyaient responsable de ce funeste présage.

Pouvaient-ils imaginer que la Sibylle était très loin d'eux, près des feux des bergers, et qu'elle écoutait maintenant une note faible trembler dans la nuit morte? Elle l'écouta longtemps, avant de se rendre compte que ce son ne venait pas de la terre mais qu'il descendait du ciel. En levant la tête elle aperçut des formes blanches et lumineuses qui traversaient les ténèbres.

C'étaient de petits groupes d'anges qui volaient en chantant.

Cependant, l'empereur se préparait à nouveau au sacrifice. Il se lava les mains, purifia l'autel et se fit donner la deuxième colombe. Mais il eut beau s'efforcer pour la garder entre ses mains, le corps lisse de l'oiseau lui glissa des doigts.

La colombe s'envola dans la nuit. Effrayé, Auguste se jeta à genoux devant l'autel vide et pria son Génie.

Il le suppliait de lui donner la force de conjurer le mauvais sort que cette nuit paraissait annoncer.

La Sibylle n'avait rien entendu.

Toute son âme était tendue vers le chant des anges qui allait s'amplifiant et qui finit par éveiller les bergers.

Encore assoupis, ils se soulevèrent sur un coude et aperçurent de grands cortèges d'anges dont la lumière scintillante traversait l'obscurité en ondulant comme vagues d'oiseaux migrateurs.

Certains portaient des luths et des violons, d'autres des guitares et des harpes, et leur chant était gai comme le rire des enfants, insouciant comme les trilles d'alouette. Stupéfaits, les bergers se mirent en route. Ils suivirent un sentier étroit et tortueux. La vieille Sibylle

les accompagnait. Tout à coup, une étoile brilla au-dessus de la montagne et étincela comme de l'argent.

Arrivés aux portes de la ville, les bergers trouvèrent les anges réunis au-dessus d'une petite étable. C'était une misérable masure au toit recouvert de paille.

Dès que l'étoile se fut allumée, toute la nature s'éveilla. Même ceux qui se trouvaient au Capitole sentirent du fond de l'horizon monter la caresse du vent frais.

L'air exhala de doux parfums, les arbres bruirent, le Tibre murmura sous la lueur des étoiles et, au milieu du ciel, la lune éclairait le monde.

Et voici que les deux colombes vinrent se poser sur les épaules de l'empereur.

A la vue de ce miracle, Auguste se souleva, heureux et fier. Ses amis et ses esclaves se prosternèrent devant lui.

— Avé César! crièrent-ils. Tu seras adoré comme un dieu au sommet du Capitole.

Leur exclamation fit tant de bruit qu'elle éveilla la vieille Sibylle.

Elle se leva et marcha vers eux. Ce fut comme si une fumée noire s'était élevée du précipice, tant elle était terrifiante dans sa vieillesse, puissante et vénérable. Elle s'avança vers l'empereur. D'une main, elle saisit son poignet, de l'autre, elle lui montra le lointain Orient.

— Regarde! ordonna-t-elle.

L'empereur leva les yeux.

L'espace s'ouvrit devant son regard: il aperçut une pauvre étable construite contre le roc. Des bergers à genoux se pressaient sur le seuil. Dedans, une jeune mère se penchait sur un nouveau-né couché dans la paille. Les grands doigts noueux de la Sibylle montrèrent ce pauvre enfant à l'empereur.

— Avé César! dit-elle avec un rire ironique. Voici le Dieu qui sera adoré au sommet du Capitole.

Auguste recula devant elle comme devant une folle. Mais le puissant esprit prophétique descendit sur la Sibylle. Ses yeux mats se mirent à briller, ses bras se tendirent vers le ciel et sa voix prit une force et une résonance extraordinaires tandis qu'elle prononçait des paroles que ses yeux semblaient lire dans les étoiles:

— Au sommet du Capitole on adorera le Sauveur du monde, et non plus de fragiles êtres humains, dit-elle.

Puis elle s'éloigna, descendit lentement la colline, et disparut.

Le lendemain, Auguste interdit sévèrement au peuple de lui ériger un temple au sommet du Capitole, mais il édifia un sanctuaire à l'Enfant qui venait de naître. Il le nomma Ara Coeli, l'autel du ciel.

Selma Lagerlöf

SELMA LAGERLÖF, prix Nobel de littérature, est considérée comme l'un des plus grands écrivains suédois. Ses œuvres comprennent: *La saga de Costa Berling, Les liens invisibles, Les miracles de l'Antéchrist, Jérusalem, Le merveilleux voyage de Nils Holgersson.*

Le sapin

on loin d'ici, dans la forêt, vivait un petit sapin qui aurait dû être très heureux: il était beau et jeune, il avait de l'air et du soleil en quantité, et les pins et les grands sapins l'entouraient et lui tenaient compagnie comme de vrais amis.

Mais le petit sapin n'avait qu'un désir: grandir.

Il ne se préoccupait pas du chaud soleil et de l'air parfumé, et non plus des enfants qui venaient dans le bois cueillir des fraises et des myrtilles. Quand les enfants en avaient rempli un petit panier ou qu'ils s'étaient fait un petit collier avec des baies enfilées sur une cordelette, ils entouraient le petit sapin et lui disaient:

— Comme il est joli! Comme il est petit!

Mais le petit sapin n'aimait pas ces compliments, car il avait trop hâte de grandir.

L'année suivante, il crût d'un noeud, et l'année d'après d'un noeud encore. L'âge des arbres se compte au nombre de leur noeuds.

Le sapin soupirait.

— Si je pouvais devenir aussi grand que ce vieil arbre! J'étendrais toutes mes branches, et du haut de mon faîte je verrais le monde. Les petits oiseaux feraient leur nid dans mes aiguilles, et les jours de vent je pourrais, moi aussi, me balancer superbement comme les arbres plus grands.

Même la chaleur du soleil n'arrivait pas à le réjouir, et il ne trouvait aucun bonheur à regarder les oiseaux ou les nuages rouges feu qui passaient au-dessus de sa tête le matin et au crépuscule.

Parfois l'hiver, lorsque tout devenait blanc et scintillant de neige, un lièvre en courant sautait d'un seul bond par-dessus le petit sapin.

Comme cela l'offusquait!

Mais le temps passa, et au troisième hiver, le petit sapin était devenu assez grand pour que le lièvre ne puisse plus sauter par-dessus lui. Il devait le contourner.

— Grandir, grandir, devenir grand! Voilà la seule belle chose en ce monde! soupirait le petit sapin.

Cette année-là comme les autres années, les bûcherons vinrent abattre les arbres les plus vieux quand arriva l'automne.

Le petit sapin — qui avait déjà beaucoup grandi — tremblait de peur en voyant tomber autour de lui les grands arbres majestueux avec un bruit de tonnerre.

On coupait les branches de chacun de ces arbres, de sorte qu'ils restaient tout nus et tout grêles, méconnaissables.

Puis, les troncs étaient empilés sur une charrette que des chevaux traînaient hors de la forêt.

Où allaient-ils? Quel destin les attendait?

Lorsque les hirondelles et la cigogne revinrent avec le printemps, le petit sapin leur demanda:

— Savez-vous où ont été emportés les arbres que le bûcheron a coupés?

Les hirondelles ne savaient rien, mais la cigogne secoua la tête et dit:

— En revenant d'Égypte, j'ai vu, sur la mer, beaucoup de bateaux qui portaient de très grands arbres. C'étaient peut-être tes amis de la forêt? Ils sentaient bon le pin. Ils étaient très beaux, vraiment majestueux.

— C'est vrai? Comme je voudrais être assez grand pour aller sur la mer! Mais comment est-elle, la mer? A quoi ressemble-t-elle?

— C'est trop long à expliquer... dit la cigogne en s'éloignant.

Les rayons de soleil murmurèrent:

— Ne te fâche pas. Pense à ta jeunesse et sois heureux de la vie que tu portes en toi.

Le vent embrassait le petit sapin et la rosée le baignait de larmes, mais le petit arbre ne comprenait pas, et il n'était pas heureux.

Arriva décembre, le mois de Noël.

Les hommes coupèrent quelques jeunes sapins dont certains étaient encore plus petits que notre petit sapin. Celui-ci était inquiet et il souhaitait partir avec les autres.

Ces arbres-là, contrairement aux grands, étaient chargés dans la charrette tels quels, sans qu'on coupe leurs branches.

— Où les emmène-t-on? se demandait le petit sapin. Il y en a qui sont encore plus petits que moi. Pourquoi ne coupe-t-on pas leurs branches?

34

Les passereaux pépièrent:

— Nous, nous le savons où on les emmène. Là-bas, à la ville, nous regardons par les fenêtres des maisons. Les petits arbres sont habillés comme pour une fête, ils sont placés au centre de la pièce, et on les décore avec plein de belles choses: des pommes dorées, des noix, des bonbons, des jouets et des centaines de bougies de toutes les couleurs.

— Et puis? Et ensuite? demanda le sapin, en tremblant de la tête au pied. Qu'arrive-t-il ensuite?

— Nous n'avons rien vu d'autre. Mais c'était très joli!

L'arbre s'exclama tout joyeux:

— Ah! si seulement j'étais destiné à une telle gloire! C'est encore mieux que de voyager en bateau sur la mer. Comme je voudrais qu'on soit déjà à Noël! Qui sait si les bûcherons reviendront pour couper d'autres jeunes arbres. J'aimerais tant aller dans la charrette, puis à la ville, et dans la pièce haute et chaude au milieu de tant de splendeur! Et puis? Certainement il doit arriver ensuite quelque chose de mieux encore, sans quoi il n'y aurait aucune raison de décorer autant les arbres! Il y a certainement pour eux une destinée encore plus glorieuse, mais laquelle? Oh! quel tourment! Et je ne sais même pas moi-même pourquoi il me faut souffrir ainsi!

L'air et le soleil lui dirent alors:

— Satisfais-toi de nous. Réjouis-toi de ta jeunesse dans la forêt.

Mais le petit sapin n'était pas du tout heureux.

Puis il grandit, il grandit, en hiver et en été, et il devint tout vert, d'un beau vert sombre.

Les bûcherons disaient:

— Quel beau sapin!

Et à Noël, c'est lui qu'ils coupèrent, avant tous les autres.

La hache le frappa profondément et le sapin tomba par terre en gémissant. Il n'arrivait plus à penser à rien d'heureux; il ressentait une impression de langueur et de mélancolie, car il trouvait triste, malgré tout, de laisser le lieu où il était né et où il avait grandi.

Il ne reverrait plus jamais les pins et les sapins ses amis, ni les buissons, ni les fleurs autour, et peut-être même pas les petits oiseaux.

Oui, ce départ, cet arrachement était douloureux.

L'arbre revint à lui quand on le déposa dans une cour, avec beaucoup d'autres arbres.

Une voix dit:

— Ce sapin est magnifique. Prenons-le. Je ne veux même pas en voir d'autres.

Deux domestiques en livrée transportèrent l'arbre dans une salle splendide. Les murs étaient couverts de tableaux et, de chaque côté d'une grande cheminée, il y avait deux vases chinois avec des lions dorés sur leur couvercle.

Les longues tables étaient combles de livres pleins d'illustrations et, autour, il y avait des fauteuils à bascule et des divans de brocart.

Les jouets des enfants, paraît-il, valaient cent fois cent écus.

On déposa le sapin dans un grand bac rempli de sable. Mais nul n'aurait pu deviner qu'il s'agissait d'un baquet, car on l'avait recouvert d'une étoffe verte et placé sur un tapis de couleur.

L'arbre tremblait. Qu'arrivera-t-il?

Les domestiques et quelques jeunes filles commencèrent à le décorer, en suspendant à ses branches de petits treillis découpés dans du papier.

Chaque petit filet était rempli de bonbons. On suspendit aussi aux branches des pommes dorées et des noix, qui paraissaient faire partie de l'arbre. Parmi plus de cent petites bougies blanches, rouges et vertes, des poupées qu'on aurait dit vivantes se balançaient. L'arbre n'en avait jamais vu de semblables. Tout en haut, juste au faîte de l'arbre, on fixa une étoile qui brillait comme de l'or.

C'était vraiment un spectacle magnifique.

Tous s'exclamèrent:

— Il sera très beau ce soir, quand on allumera les bougies!

Le sapin songea:

— Mais quand donc arrivera le soir? Qu'on allume vivement les bougies! Et qui sait si des arbres viendront de la forêt pour me voir! Et des oiseaux! Voleront-ils devant les fenêtres? Comme je serai heureux de grandir ici, tout décoré, en hiver comme en été!

L'arbre se trompait...

A force d'être tourmenté par le désir, à force de s'étirer vers le haut, le sapin avait fini par attraper un bon mal de tronc. Et chacun sait que le mal de tronc est aussi mauvais pour les arbres que le mal de tête pour les hommes.

Enfin, le moment d'allumer les bougies arriva.

Quel miroitement! Quel bonheur!

Le sapin tremblait tant et tant qu'une des bougies mit le feu à une petite branche qui en fut toute calcinée.

Les jeunes filles se précipitèrent pour éteindre la flamme en criant.

Le sapin ne bougeait plus du tout, du tout, il restait bien immobile, il n'osait même plus trembler.

Quelle peur il avait eue!

Il craignait d'enflammer un joli bibelot, et puis, toutes ces lumières l'étourdissaient!

Tout à coup les portes s'ouvrirent et une bande d'enfants entra en courant comme s'ils avaient voulu renverser l'arbre de Noël.

Ils restèrent muets d'admiration pendant une bonne minute, puis ils se mirent à crier et à danser avec bruit autour de l'arbre en cueillant les cadeaux suspendus à ses branches.

— Que se passera-t-il maintenant? pensait le sapin.

Entre-temps, les petites bougies se consumaient et s'éteignaient une à une.

Quand elles furent toutes éteintes, les petits enfants s'élancèrent vers l'arbre et le dépouillèrent avec tant de violence que ses branches craquèrent.

Si le sapin ne s'écroula pas par terre, c'est parce qu'il avait été retenu au plafond par un fil, avec l'étoile dorée.

Les enfants jouaient à présent avec leurs jouets tout neufs.

Personne ne remarquait plus l'arbre, seule la vieille nourrice fouillait au milieu des branches à la recherche d'une douceur qu'on y aurait oubliée.

Finalement, les enfants entraînèrent vers l'arbre un petit monsieur tout gras en criant:
— Raconte-nous une histoire!

Il s'assit sous les rameaux verts et dit:
— Voici. Faisons comme si nous étions dans une belle forêt. Le sapin pourra aussi écouter mon histoire. Je n'en raconterai cependant qu'une seule. Laquelle voulez-vous entendre? Celle d'Ivede-Avede, ou celle de Klumpe-Dumpe qui dégringola l'escalier mais revint pour épouser la princesse?

Un enfant s'écria:
— Ivede-Avede!

Mais les autres entonnèrent:
— Klumpe-Dumpe!

Il y eut des cris et il y eut des pleurs. Seul le sapin demeurait silencieux en songeant: «Personne ne me demande mon avis.»

Mais il avait achevé son rôle dans les divertissements de cette soirée, et il n'avait plus rien d'autre à faire.

Ainsi, le gros petit monsieur raconta l'histoire de Klumpe-Dumpe

qui avait dégringolé l'escalier, mais qui était ensuite monté sur le trône et avait épousé la princesse.

— Une autre! Une autre! s'écrièrent les enfants qui voulaient maintenant entendre l'histoire d'Ivede-Avede. Mais ils durent se contenter de celle de Klumpe-Dumpe.

Le sapin demeura muet et pensif. Les petits oiseaux de la forêt ne lui avaient jamais raconté une pareille histoire.

Klumpe-Dumpe avait dégringolé l'escalier, mais il était ensuite monté sur le trône et il avait épousé la princesse... C'est bien ainsi que les choses se passent dans le monde, songea le sapin. Il croyait tout ce que racontait le gros petit monsieur, car c'était un monsieur très distingué.

— Peut-être que moi aussi j'épouserai une princesse. Et il rêvait à la nuit suivante où il serait sans doute encore illuminé et décoré avec des fruits, des jouets et des bonbons.

— Demain, je ne tremblerai pas. Je serai très fier de ma beauté. Demain j'écouterai encore l'histoire de Klumpe-Dumpe, et peut-être aussi celle d'Ivede-Avede. Il passa toute la nuit à réfléchir. Au matin, il vit entrer les domestiques.

— Voici que doit recommencer ma splendeur, songea l'arbre. Mais au lieu de cela, on le transporta jusqu'au grenier, dans un coin où pas un brin de lumière ne pénétrait.

— Que veulent-ils que je fasse ici? Que va-t-il se passer? se demanda-t-il.

Il s'appuya contre le mur et se mit à penser, à penser, à penser...

Des jours et des nuits passèrent sans que personne ne vienne.

Une fois, seulement, un homme entra et posa dans le coin quelques grosses caisses.

Tous l'avaient oublié.

— Maintenant, c'est l'hiver, pensait-il. La terre est couverte de neige. On ne pourrait pas me transplanter. On a sûrement décidé de me garder à l'abri ici jusqu'au printemps. Comme ces gens sont gentils! C'est dommage qu'il fasse si noir ici et que je sois si seul. On ne voit même pas un levraut. La forêt était jolie quand les lièvres faisaient des bonds dans la neige... même lorsqu'ils sautaient par-dessus moi, qui étais si petit, c'était tout de même agréable... Quelle tristesse, tout ce silence.

— Pssst! Pssst! fit tout à coup une petite souris qui s'approchait. Une autre souris, encore plus petite que la première, la suivait. Toutes deux reniflèrent l'arbre et se cachèrent entre ses branches.

40

— Il fait si froid... dirent-elles. S'il ne faisait pas si froid, nous serions plutôt bien ici, n'est-ce pas, vieil arbre?

— Je ne suis pas vieux, protesta le sapin. Il y en a de bien plus vieux que moi!

Les petites souris, qui étaient curieuses, demandèrent:

— D'où venez-vous? S'il vous plaît, parlez-nous du plus beau pays du monde. Y êtes-vous allé? Savez-vous où se trouve la chambre aux provisions remplie de fromages et de saucissons, où l'on danse sur des chandelles, où l'on entre maigre et d'où l'on sort gras?

— Non, je ne connais pas cet endroit. Mais je connais la forêt où le soleil brille et où les oiseaux chantent.

Et le sapin raconta ses souvenirs de jeunesse.

Les petites souris écoutaient avec attention; elles n'avaient jamais entendu de pareilles histoires.

— Vous en avez vu, des choses, monsieur le sapin! Vous avez dû être très heureux!

— Heureux? Le sapin pensa à ce qu'il venait de raconter. Oui, c'étaient des jours heureux. Puis il raconta le soir de Noël qu'il avait connu, quand on l'avait chargé de cadeaux et de petites bougies allumées.

— Comme vous avez dû être heureux, grand-père sapin, soupira la plus petite des petites souris.

— Je ne suis pas grand-père et je ne suis pas vieux, moi! Je ne suis sorti de ma forêt que cet hiver. Je suis jeune, mais j'ai grandi vite.

— Vous racontez si bien de belles histoires! s'écria la petite souris.

La nuit suivante elle revint avec d'autres petites souris pour écouter les histoires de l'arbre.

Au fur et à mesure que le sapin parlait, il se remémorait son passé, et il songeait, à part soi:

— C'étaient des temps heureux. Ils pourraient revenir. Même Klumpe-Dumpe dégringola l'escalier, mais ensuite, il épousa la princesse... Et le sapin se souvint tout à coup d'une jeune fougère qui poussait dans la forêt: elle lui avait toujours semblé une vraie princesse.

La plus petite des souris lui demanda soudain:

— Qui est Klumpe-Dumpe?

Et le sapin raconta l'histoire, qu'il se rappelait toute.

Les petites souris sautaient de joie parmi ses branches. La nuit suivante, elles revinrent à plusieurs. Le dimanche, elles avaient amené deux gros rats avec elles, mais les rats n'aimèrent pas l'histoire, et cela déplut aux petites souris, car maintenant l'histoire ne leur plaisait pas non plus.

— Tu n'en saurais pas une autre? demandèrent-elles.

— Je ne connais que celle-là, répondit l'arbre. Je l'ai entendue au cours de la plus belle soirée de ma vie, mais je ne savais pas, alors, combien j'étais heureux.

— C'est une histoire mesquine. Tu n'en saurais pas une qui parlerait de provisions, de jambons et de fromages?

— Non.

Alors, les rats s'en allèrent. A la fin, même les petites souris retournèrent dans leur famille. Le sapin soupira:

— C'était bien quand toutes ces petites souris restaient près de moi et écoutaient mon histoire. Maintenant, cela aussi est terminé. Mais quand on viendra m'enlever d'ici, il faudra que je me souvienne que j'ai déjà été heureux.

Et quand croyez-vous qu'on vint le chercher?

Un matin, les domestiques vinrent, ils écartèrent les caisses et ils jetèrent l'arbre par terre. Puis on le traîna dans l'escalier qu'illuminait le soleil.

— Ma vie commence! songea le sapin.

Il sentit l'air tiède sur lui et vit qu'il était dans la cour, au soleil.

Tout arriva si vite! L'arbre regardait tant autour de lui qu'il en oublia de s'examiner. La cour se trouvait tout à côté d'un jardin fleuri; des roses fraîches et parfumées pendaient des buissons. Des lis remplissaient les plates-bandes et les hirondelles chantaient «Vuiiidt! Vuiiidt!», ce qui signifie, dans ces pays du nord, «loin, loin».

— Maintenant, je vais commencer à vivre, soupira le sapin en tendant ses bras. Mais, oh! ils étaient secs et jaunis! On le jeta dans un coin au milieu des orties. L'étoile dorée brillait encore à son faîte.

Deux des enfants qui avaient ri et joué autour de lui et l'avaient tant admiré le soir de Noël se trouvaient dans la cour.

— Regarde un peu ce qui est attaché à ce vilain arbre! dit le plus petit. Et il courut vers le sapin pour arracher son étoile, en piétinant ses branches qui craquèrent sous ses souliers.

Le sapin regarda les fleurs du jardin. Puis il se regarda lui-même. Il regretta de n'être pas resté dans la noirceur du grenier, tant il avait honte de son état.

Puis il songea à sa jeunesse dans la forêt, à la nuit de Noël, aux petites souris qui l'avaient écouté raconter l'histoire de Klumpe-Dumpe.

— Tout est fini! dit-il. Si seulement j'avais su être heureux pendant qu'il était temps!

Sur ces entrefaites, arriva un domestique qui scia l'arbre en plusieurs tronçons pour en faire du bois à brûler.

Le bois fit une belle flambée sous la marmite et soupira profondément. Chaque soupir ressemblait à un pétillement.

Les enfants qui jouaient près de là coururent regarder le feu en faisant «pif! paf!».

A chacun des pétillements, qui était un gémissement de l'arbre, le sapin se rappelait une belle journée dans sa forêt, dans la chaleur de l'été, ou bien une claire nuit d'hiver, quand les étoiles brillaient au-dessus des sapins. Puis il se souvint de la nuit de Noël, et de l'histoire de Klumpe-Dumpe, la seule qu'il ait jamais entendue, la seule qu'il ait jamais su raconter.

Puis, le sapin finit de brûler.

Les enfants retournèrent jouer au jardin, et le plus petit accrocha sur son coeur une étoile dorée, celle que le sapin avait arborée au plus beau soir de sa vie.

C'était fini, maintenant. La vie de l'arbre était finie. Et finie aussi l'histoire. Finie, comme il arrive à toutes les histoires.

Hans Christian Andersen

HANS CHRISTIAN ANDERSEN est né à Odense en 1805 et est mort à Copenhague en 1875. Il a écrit des romans et des poèmes, mais il est surtout connu pour ses contes pour enfants, qui portent la marque de sa forte personnalité.

La petite vieille de la crèche

a petite vieille habitait depuis très longtemps (deux cents ans? trois cents?) sur la montagne de la crèche. C'était la crèche qui se trouve, à Rome, près de l'église des saints Côme et Damien, parmi les ruines du Forum impérial. C'est une des plus belles crèches du monde, avec des montagnes, des ravins, des châteaux, des villages, des palais, des ponts, des bergeries, des auberges, des boutiques, et des milliers de fenêtres ouvertes derrière lesquelles on peut voir vivre les gens. Mais, comme à Naples, les gens d'ici vivent surtout dans la rue. Des centaines et des centaines de petits personnages vivent, achètent et vendent du poisson, des jambons, des figues sèches, des châtaignes. Et l'on voit des escaliers, puis des escaliers plus petits, et de tout petits escaliers: un labyrinthe en fête sur lequel descendent du plafond des grappes d'anges et un long cortège de Maures, de chevaux, de chameaux qui accompagnent les Rois Mages; des enfants accourent, curieux, des jeunes filles dansent la tarantelle en l'honneur des hôtes, on verse à boire et on dresse des tentes luxueuses comme des royaumes.

La petite vieille habitait sur la colline la plus haute, dans la maison la plus pauvre du village. Elle aussi, la nuit de Noël, elle couvrit sa tête de son plus beau fichu, elle prépara un petit paquet de tomates séchées au soleil pour en faire cadeau à l'enfant, puis elle s'avança à petits pas fatigués sur un sentier escarpé qu'interrompaient de temps à autre quelques marches.

Tout doucement, elle marchait. Elle marchait plus lentement que tout le monde. Bien vite elle fut dépassée par un groupe de jeunes dont l'un jouait de l'accordéon.

— Courage, grand-mère! dirent-ils.

— Ce n'est pas le courage qui manque, répondit-elle en s'arrêtant pour les regarder. Allez, allez, les beaux petits de leur maman!

Mais ils étaient déjà arrivés au fond de la vallée, aussi rapides qu'une avalanche. Un vieillard qui fumait la pipe sur le pas de sa porte l'appela:

— Vous y arriverez? La route est longue.

— J'y arriverai. J'y arriverai. Je serai la dernière, mais à mon âge, il n'y a pas de honte...

La petite vieille soupira mais poursuivit son chemin.

Elle n'avait pas de temps à perdre. Elle descendait le long des sentiers et des escaliers. Elle gravissait des pentes et grimpait des escaliers.

Elle devait encore franchir deux montagnes avant d'arriver à la plaine... et puis, cette plaine, il fallait la traverser, enfin, recommencer à grimper pour aller outre les villages accrochés aux sentiers.

Il y avait de plus en plus de gens dehors maintenant; certains sortaient des maisons; des femmes penchées à leur balcon criaient:

— Attendez-moi!

Par les fenêtres ouvertes, la vie sortait des maisons avec ses lumières, ses bruits et ses couleurs. La petite vieille aperçut une jeune fille qui choisissait, dans un coffre, un très beau châle.

— Voilà son châle de mariée, murmura-t-elle avec un tout petit peu d'envie. Moi je n'ai que ces vilaines tomates séchées. Comme c'est triste d'être pauvre ... on ne peut pas faire de beaux cadeaux.

Elle passa devant une masure délabrée. Devant la porte, une femme lavait du linge dans un baquet.

— Mais que faites-vous donc? grommela la petite vieille. La lessive? Le soir de Noël?

La femme leva vers elle des yeux rouges et bouffis.

— Mon mari est malade. Il faut bien que je gagne notre vie...

— Vous n'entendez pas vos enfants qui pleurent?

— Mais oui, je les entends... Ils veulent aller à la grotte avec les autres. Et moi je n'ai pas le temps de les habiller. Voilà pourquoi ils pleurent.

— Molle comme une chiffe! grogna la petite vieille. Ça ne sait pas se défendre...

Elle entra dans la maison, jeta un coup d'œil au malade, changea l'eau de sa carafe, puis elle habilla les enfants avec des gestes rudes et précis tout en les grondant, par principe. Les enfants n'écou-

taient pas ses reproches; ils sentaient ses mains bonnes et rapides, ils se laissaient habiller à la hâte, ils se laissaient débarbouiller. Quand ils furent prêts, ils filèrent à toute vitesse en poussant des petits cris d'hirondelles.

— Ils te font perdre ton temps, mais pour te dire merci, ça... grommela la petite vieille en se remettant en route.

Elle commençait à avoir faim. Elle aurait volontiers demandé quelque chose à la bergère qui filait, celle qui avait un chat endormi sur ses genoux, ou encore aux femmes qui portaient en équilibre sur leur tête de grands paniers pleins de légumes, de gâteaux faits à la maison, de fruits sucrés. Mais elle était trop orgueilleuse. Heureusement, un paysan qui travaillait dans son champ vit qu'elle était hors d'haleine et qu'elle vacillait un peu. Il cueillit une orange à un arbre et la lui offrit.

— Bien! Merci! lui dit-elle. On croirait que vous avez été mis ici pour ça! J'avais justement un peu soif.

Elle avait dit «soif» et non pas «faim», parce qu'elle n'aimait pas faire connaître aux gens ses vrais problèmes; elle ne voulait pas qu'on la prenne en pitié.

— Dites, cela vous semble le bon moment pour labourer, cette nuit? Vous qui avez de bonnes jambes...

— J'ai bientôt fini. Je cueillerai un panier d'oranges et je me mettrai en route. Je parie que je vous rejoins avant que vous n'arriviez au village.

Au village, la boulangerie était ouverte, le four tout rouge, et la nuit sentait bon le pain frais.

La petite vieille détourna la tête.

Prisonnière de sa chaise, une grosse petite fille rose pleurait et criait à fendre l'âme et enfonçait rageusement son poing dans le plat de spaghetti posé devant elle.

— Qu'est-ce que tu as? demanda la petite vieille. Tu n'aimes pas ta popote? Allez, mange! C'est bon!

Mais le bébé ne se taisait pas et ne voulait pas manger. La petite vieille découvrit enfin par terre la poupée de chiffon qui était tombée. Elle la rendit à la grosse petite fille et la grosse petite fille sourit.

— Allez, dit la petite vieille en enroulant autour de la fourchette un brin de spaghetti. Mange, ah! miam... que c'est bon... Et ta maman? Tes petites sœurs? Je parie qu'elles sont toutes parties voir le cortège des Mages. Et elles t'ont laissée ici toute seule comme une orpheline. Mange avec grand-maman, allez... bien... bien...

En mangeant, la petite fille bredouillait des syllabes incompréhensibles, des exclamations qui ne voulaient rien dire.

— Baaa… biii… niouuuu… hiii…

La petite vieille se mit à imiter l'enfant. Pendant ce temps, les minutes passaient, les gens passaient et souriaient.

Passa un joueur de cornemuse, suivi d'une file de garçons.

Passa le paysan de tout à l'heure, avec son panier d'oranges.

La petite vieille ne se secoua de sa torpeur que lorsque le plat de l'enfant fut vide. Alors, elle regarda autour d'elle et se leva.

— Ma petite, il faut que je m'en aille, sans quoi je n'arriverai pas à temps. Tu vois la lueur là-bas? C'est la comète qui arrive.

— Biaooo… booo… répondit la grosse petite fille.

— Tu vas être sage? Ta maman reviendra bientôt.

La foule était maintenant devenue un fleuve bruyant et multicolore. Elle résonnait de cris, de fifres, de castagnettes; la petite vieille était arrivée presque au centre de la crèche, la lueur de l'étoile montait dans le ciel comme un feu de joie.

La petite vieille fut entraînée pendant quelque temps par des jeunes filles qui chantaient et qui dansaient et qui avaient pris son bras, et elle en fut tout essoufflée. Elle dut s'asseoir et se reposer un moment sur un banc devant une auberge campagnarde, mais elle refusa le verre de vin que lui offrait l'aubergiste de peur que la tête lui tourne. Elle ne but qu'un peu d'eau.

Les gens passaient. Ils étaient déjà passés. Seul quelque retardataire pressait encore le pas. Et maintenant, plus personne.

— J'arriverai après tout le monde encore cette année, soupira la petite vieille. Et de loin, je ne verrai rien du tout, on sait bien. Et mes pauvres jambes qui me font mal comme si on les avait rouées de coups…

Elle reprit courage et se remit en route, toujours plus lentement, et à tous les trois pas elle devait s'arrêter pour calmer son cœur. Les rumeurs et les lumières de la grande fête ressemblaient à un nuage qui s'éloignait. Les moments de silence étaient toujours plus longs, plus étendus. Pendant l'un de ces silences elle entendit — encore! — des pleurs d'enfant.

— Pauvre petit, murmura la petite vieille. Par une nuit pareille il ne devrait pas y avoir au monde un seul enfant qui pleure. Non. Non. Personne au monde ne devrait pleurer. Mais où es-tu, mon petit, mon pauvre petit? Où es-tu, le beau petit de sa maman?

Les pleurs provenaient d'une masure située à quelques mètres de la route. Elle était entourée d'une haie si flétrie que la petite vieille l'enjamba sans peine.

La masure était plongée dans l'obscurité. Les pleurs venaient de là.

— Me voici, me voici, murmurait la petite vieille. Me voici. J'arrive.

Elle entra dans la masure. Juste à ce moment la comète dépassa la dernière montagne et illumina le ciel tout entier. Son éclat pénétra dans la masure et la petite vieille put apercevoir une paillasse, une jeune femme qui y était étendue les yeux fermés, et qui paraissait évanouie. A son côté pleurait un petit bébé tout nu.

— Mais tu as froid, voilà ce que tu as! dit la petite vieille de sa plus douce voix.

Et toujours se parlant à elle-même, la petite vieille allait et venait dans la maison, trouvait les langes du bébé et l'en enveloppait.

Tout à coup elle entendit faiblement une voix qui disait: «Merci.» Elle se retourna et aperçut la mère, qui était revenue à elle.

Elle était trop faible pour bouger et pour parler, mais ses yeux reconnaissants exprimaient tout.

— Bien. Bien, dit la petite vieille. Et elle alluma du feu; puis elle mit de l'eau à bouillir. Le feu éclairait la pièce comme une petite comète capricieuse qui aurait joué avec les ombres. L'aube se leva tout doucement, grise d'abord, puis blanche et dorée. La mère et l'enfant dormaient. La petite vieille sommeillait sur une chaise, le menton appuyé dans sa main. Lorsqu'elle s'éveilla, le père était rentré, et la nuit de Noël était passée.

La petite vieille n'était pas arrivée à la grotte, mais elle était contente et sereine même si elle n'avait pas vu les Rois Mages ni les anges, ni très loin au-delà d'un océan de têtes, la grotte.

Elle laissa les tomates séchées sur la table et s'en retourna chez elle, pas à pas, dans le silence de la grande crèche endormie, chez elle tout là-haut, tout là-haut, au bout des sentiers et par-dessus les toits, chez elle en haut des escaliers, chez elle, tout à côté des étoiles.

Gianni Rodari
(tiré de *Vingt histoires plus une*)

GIANNI RODARI, journaliste et écrivain, est né à Omegna (Novara) en 1920 et est mort à Rome en 1980. En 1970, il recevait la plus haute distinction qui soit pour la littérature enfantine, le prix Andersen.

Le géant égoïste

n raconte que tous les matins en sortant de l'école les enfants couraient jouer dans le jardin du géant.

C'était un très grand jardin, avec de l'herbe verte et tendre; les fleurs éparpillées sur les prés paraissaient des étoiles, et les pêchers se couvraient au printemps de fleurs délicates et rosées qui, en automne, donnaient des fruits exquis. Sur les branches, les petits oiseaux chantaient si doucement que les enfants interrompaient leurs jeux pour les écouter.

Mais un jour, le géant, qui était parti, revint.

Il s'était absenté sept ans pour rendre visite à un ami qui était ogre, en Cornouailles.

Mais maintenant qu'il n'avait plus rien à lui raconter, il avait décidé de rentrer dans son château et de ne plus le quitter.

Quand il arriva, il vit le jardin rempli d'enfants et il cria:

— Que faites-vous chez moi?

Tous s'enfuirent, effrayés.

Le géant grommela:

— C'est mon jardin à moi et personne n'a le droit d'y entrer. Je vais faire construire tout autour un mur très haut, et j'accrocherai à la grille un écriteau qui dira:

DÉFENSE D'ENTRER!

C'était vraiment un géant très égoïste. Les enfants en furent tout tristes, car ils ne savaient plus où aller jouer maintenant.

La route était pleine de poussière et de terre.

Lorsqu'ils sortaient de l'école, les enfants tournaient autour du mur qui cachait le jardin et ils disaient:

— Comme nous y étions heureux!

Le printemps vint.

La campagne fleurit et les petits oiseaux retournèrent sur les arbres.

Mais dans le jardin du géant égoïste, l'hiver continuait à régner.

Les petits oiseaux ne voulaient pas chanter dans un jardin où il n'y avait pas d'enfants, et les arbres oubliaient de fleurir.

Un jour, une fleur sortit d'une motte de terre, mais quand elle aperçut l'écriteau qui éloignait les enfants, elle en eut si mal qu'elle rentra sous terre et se rendormit.

Seuls Madame Neige et Monsieur Gel se réjouissaient:

— Le printemps a oublié ce jardin! Nous pourrons rester ici toute l'année!

Le gel peignit tous les arbres de gris argenté et la neige couvrit l'herbe de blanc.

Puis ils invitèrent le vent du nord qui arriva en sifflant; il hurlait toute la journée et arrachait les ardoises des pignons. Vint aussi la grêle. Elle s'acharnait tous les jours sur le toit du château, puis elle courait autour du jardin en soufflant son haleine glacée.

— Je ne comprends pas pourquoi le printemps est aussi en retard cette année, disait le géant égoïste. Il regardait en frissonnant son jardin froid.

— Espérons que le temps s'embellira...

Mais le printemps ne vint pas plus que l'été. Lorsque l'automne commença à distribuer ses fruits dorés dans toute la campagne, il n'en mit pas un seul dans le jardin du géant.

L'hiver y resta, avec le vent du nord, la grêle, le gel et la neige. Ils dansèrent leur ronde parmi les arbres.

Un matin, le géant s'éveilla et entendit une musique très douce.

Ce sont peut-être les musiciens du roi?

Non. Ce n'était qu'une linotte, un petit oiseau à fale rouge, qui chantait sa chanson. Il y avait si longtemps que le géant n'avait pas entendu le chant des oiseaux! Il lui sembla que c'était là la plus belle musique du monde.

Le vent du nord n'ululait plus. La grêle ne tombait plus sur le toit.

Un délicieux parfum entra par la fenêtre ouverte.

— Voici le printemps! s'écria le géant en sautant du lit. Et que vit-il?

Il vit une scène extraordinaire. Les enfants avaient réussi à entrer dans le jardin par une brèche dans le mur, et ils avaient grimpé aux arbres. Les arbres étaient si heureux d'avoir retrouvé les enfants qu'ils s'étaient recouverts de feuilles. Les petits oiseaux gazouillaient et les fleurs sortaient leur nez d'entre les herbes.

L'hiver était resté dans un coin du jardin.

C'était le coin le plus reculé. Un tout petit enfant tournait autour d'un arbre dans la neige. Le vent soufflait, et l'arbre tendait ses branches engourdies vers le sol en gémissant:

— Touche-moi, mon petit. Accroche-toi! Viens!

Mais le petit enfant était vraiment trop petit.

A le voir, le géant s'attendrit.

— Comme j'ai été égoïste! Maintenant je comprends pourquoi le printemps ne voulait plus revenir ici. Allons… je dépose cet enfant sur une branche de l'arbre. Puis, j'abats le mur d'enceinte. Mon jardin redeviendra pour toujours le royaume des enfants.

Le géant repenti descendit l'escalier et ouvrit tout doucement la porte. Les enfants eurent si peur en le voyant qu'ils s'enfuirent.

L'hiver et le gel revinrent prendre d'assaut le jardin.

Mais dans le coin le plus reculé, le tout petit enfant ne bougea pas parce qu'il n'avait pas aperçu le géant. Le géant s'approcha de lui sur la pointe des pieds. Il le souleva délicatement et le déposa sur une branche de l'arbre.

Aussitôt, l'arbre se couvrit de fleurs, les petits oiseaux l'envahirent en chantant, et le petit enfant mit ses bras autour du cou du géant pour l'embrasser.

Lorsque les enfants virent que le géant n'était plus méchant, ils revinrent à la course, et avec eux revint le printemps.

— C'est votre jardin maintenant, cria le géant, en abattant le mur d'enceinte.

A midi, les passants qui allaient au marché virent le géant jouer avec les enfants dans le plus beau jardin du monde.

Le soir, les enfants saluèrent le géant.

— Mais où est votre petit ami, celui que j'ai mis sur l'arbre? demanda le géant. Il le préférait aux autres, car il l'avait embrassé.

— Nous ne le savons pas. Il doit être parti, dirent les enfants.

— Demandez-lui de revenir demain.

Mais aucun d'entre eux ne savait où se trouvait cet enfant, car ils ne l'avaient jamais vu auparavant.

Le géant devint tout triste.

Chaque jour après l'école, tous les enfants revenaient jouer dans le jardin, mais le plus petit enfant ne se montra plus jamais.

Le géant parlait souvent de lui. Il aurait beaucoup aimé le revoir.

* * *

Les années passèrent. Le géant devint vieux. Il ne pouvait plus jouer avec les enfants et il restait assis toute la journée dans un fauteuil pour les regarder courir dans son jardin.

— J'ai beaucoup de fleurs, songeait-il. Mais les enfants sont les plus belles de toutes.

Maintenant, il ne détestait plus le froid, car il savait qu'à ce moment le printemps dormait et les fleurs se reposaient.

Tout à coup, il se frotta les yeux et regarda devant lui avec stupeur. Quelle merveille!

Dans le coin le plus reculé du jardin, il y avait un arbre couvert de fleurs blanches.

De ses branches dorées pendaient des fruits d'argent.

Sous l'arbre se trouvait le petit enfant que le géant préférait.

Le géant descendit l'escalier jusque dans le jardin et s'approcha de l'enfant.

Il le regarda attentivement et, soudain, il devint rouge de colère. Il cria:

— Qui a osé te faire du mal?

En effet, les mains de l'enfant étaient blessées. Ses petits pieds aussi portaient des marques de clous.

— Qui a osé te blesser? hurla le géant. Dis-moi qui! Je le tuerai avec mon épée!

— Non. Ce sont des blessures d'amour, répondit l'enfant.

— Mais qui es-tu? demanda le géant.

Il fut saisi d'une grande crainte et il tomba à genoux.

L'enfant lui sourit et dit:

— Un jour, tu m'as permis de jouer dans ton jardin. Aujourd'hui, tu viendras avec moi dans mon jardin, qui est le Paradis.

Lorsque les enfants revinrent, ils trouvèrent le géant mort sous l'arbre. Toutes les fleurs blanches étaient tombées sur lui.

Oscar Wilde

OSCAR WILDE est né à Dublin en 1856 et il mourut à Paris en 1900. Ses œuvres les plus connues sont: *Le portrait de Dorian Gray, Salomé, De Profundis, Le Prince heureux et autres contes, Ballade de la geôle de Reading.*

Deux amis et une étable

Hannan était le plus jeune berger des environs de Bethléem. Il n'avait que huit ans. Vif et gai, il aimait courir autour de son troupeau avec son grand bâton en criant des mots qui voulaient dire: «En avant!» ou «Halte!» ou «Restez ensemble!»

Il aimait tous les moutons, Hannan, et il les connaissait tous par leur nom. Mais son grand amour était Rech, l'agneau de quelques mois, blanc de lait et délicieusement beau.

Les yeux d'Hannan étaient noirs et audacieux. Rech avait les yeux bleus et doux. Hannan ne craignait rien. Rech, timide, courait se réfugier près de sa mère.

Pourtant, les deux se comprenaient à merveille, sans doute parce qu'ils étaient tous les deux les plus petits. Et ils s'aimaient beaucoup.

Lorsque Hannan voyait que Rech devait faire des efforts pour suivre le troupeau, il courait le prendre dans ses bras et le portait ainsi sur de longues distances, même s'il devenait lourd. Et Rech, à son tour, s'était attaché à l'enfant et le suivait partout comme un chiot.

— Rech! Hannan l'appelait de sa voix résonnante.
— Bêêê! répondait l'agneau en courant vers lui.
C'était une véritable amitié.

Chaque soir, Hannan veillait à ce que Rech soit installé entre les grands moutons et à l'abri de tout danger. Il ne pouvait aller dormir en paix que s'il savait que Rech était bien tranquille.

— Nous ne pourrons jamais tuer Rech, disait parfois Bariona, le papa de Hannan. Cela ferait trop de peine à l'enfant.

Inutile de dire que Hannan pensait de même.

Ce jour-là, comme tous les autres jours, on avait mené paître les moutons sur les collines, autour de Bethléem, et maintenant ils revenaient doucement à l'endroit où ils devaient passer la nuit. Les bergers marchaient derrière en les surveillant et en échangeant des propos badins: il était toujours agréable d'arriver au bout d'une journée de gros travail. Sur une butte qui dominait le paysage, Bariona s'arrêta, émerveillé. Que se passait-il là-bas, du côté de Bethléem?

Le soleil était couché depuis longtemps; au reste, il n'aurait jamais pu irradier une telle lumière. Pourtant, une lueur étrange et forte s'élève d'un point fixe; et ce n'est pas du feu. Alors, si ce n'est ni du feu ni le soleil, qu'est-ce?

Bariona appela tous les autres pour qu'ils viennent voir. Le groupe des bergers resta là, à contempler un spectacle extraordinaire. Même Hannan était parmi eux et regardait la scène, bouche bée.

— Eh! Viens ici! cria Samuel. Il y avait de la peur dans sa voix.

Les hommes tressaillirent avec un murmure de crainte et d'émerveillement. C'était vrai! La lumière s'était élevée dans le ciel, elle se déplaçait rapidement et semblait se diriger juste à l'endroit où se trouvaient les bergers.

Hannan continuait à regarder, ébahi.

— Nous n'aurions sans doute pas dû être aussi curieux, murmura le Vieux. C'est ainsi qu'on l'appelait même si son vrai nom était Aaron, parce qu'il était en effet si vieux que personne ne connaissait son âge.

Le Vieux se couvrit le visage avec son manteau et dit:
— Allons-nous-en.

Tous bougèrent, saisis de crainte à l'idée d'avoir sans doute violé quelque secret du Seigneur. Mais juste à ce moment, la lumière qui s'était approchée d'eux à très grande vitesse s'arrêta, et une voix dit:

— Pourquoi avez-vous peur? Ne craignez rien. Au contraire, réjouissez-vous. Je vous annonce une grande joie: savez-vous qu'aujourd'hui, à Bethléem, un Sauveur vous est né?

Bariona était tombé à genoux, et avec lui tous les autres.

Dieu du ciel! Que se passait-il donc cette nuit?

Il s'inclina profondément mais il n'avait plus peur, et il entendit le Vieux qui demandait avec respect:
— Qui es-tu, toi qui nous parles?
— Je suis l'ange du Seigneur, répondit la voix forte et heureuse.

Je suis venu vous dire que vous devez vous rendre tout de suite à Bethléem. Cherchez là-bas et vous trouverez un enfant enveloppé de langes, que sa mère a couché dans une mangeoire. C'est lui. Dépêchez-vous.

La lumière paraissait maintenant s'élever au-dessus d'eux, et Hannan, qui la suivait du regard, entendit dans les cieux un chœur magnifique, à la fois doux et puissant, qui chantait à pleine voix:

«Gloire à Dieu au plus haut des cieux
et paix sur terre à tous ceux qu'Il aime.»

Il écoutait, ravi, puis son père le tira par la main en disant:
— Vite. Allons voir cet enfant.

Ils ne perdirent pas de temps. Mais les moutons bêlaient comme s'ils craignaient qu'on les abandonne.
— Rassemblez les bêtes, cria Bariona.

Les bergers ne se le firent pas dire deux fois. Hommes et bêtes se mirent en marche, se dépêchant vers l'étoile qui maintenant brillait au-dessus de Bethléem.

Rech venait tout juste de s'endormir dans un buisson. Avant qu'il ne se soit tout à fait réveillé, le troupeau tout entier était passé devant lui et dévalait la pente du petit vallon.
— Bêêê! fit l'agneau.

Il n'était jamais arrivé que tout le troupeau se sauve de cette façon! Il se leva en titubant, secoua la tête et regarda autour de lui. Plus bas, des lumières bougeaient. Rech savait que là où il y a de la lumière, il y a des bergers. Mais il était seul et il resta ainsi, un moment, sans trop savoir quoi faire, en bêlant de temps à autre.

Quand il fut tout à fait certain que personne ne viendrait, il regarda de nouveau en direction des lanternes qui s'éloignaient de plus en plus et terrifié à l'idée de se retrouver seul, abandonné sous les étoiles, il se précipita lui aussi dans le vallon pour rejoindre le troupeau.

Une petite course, un trou, le voilà qui tombe et déboule, se relève, court encore, maintenant c'est un buisson dans lequel il se jette sans le savoir. Il s'en tire de peine et de misère! Ah! Vraiment! Rech n'avait encore jamais vécu une pareille expérience! Il sentait encore dans l'air l'odeur du troupeau même s'il ne voyait plus les lanternes, et il continua son chemin avec courage.

À un moment donné, l'aile d'un oiseau invisible le frôla, tandis que l'oiseau lançait un cri rauque, et l'agneau fit un saut, mais il eut plus de peur que de mal. Il s'élança tout droit vers la vallée et se retrouva au fond, dans une prairie moelleuse qu'il traversa au pas de course, puis il se mit à gravir le versant opposé.

Il s'était rapproché du troupeau. Il en sentait l'odeur dans l'air. Il entendait même les voix des bergers.

Ils étaient tout près de Bethléem. Lorsque Rech entra dans les ruelles du bourg, il s'aperçut que le troupeau venait tout juste d'y passer. Il ralentit, et arriva petit à petit là où tout le monde s'était arrêté.

Il regarda au-dessus de lui: il y avait là une lumière qui n'était pas celle du matin, et qui pourtant lui donnait toute l'énergie habituelle du matin, c'est-à-dire l'envie de sauter, de brouter l'herbe fraîche, de courir, de bêler, de jouer avec les autres agneaux.

Si le troupeau était parti un peu vite des collines, il avait en revanche trouvé ici un endroit tout à fait idéal.

Rech entendit la voix de Bariona qui disait quelque chose à quelqu'un, et il se faufila parmi les grands moutons pour s'approcher de la lumière où il serait certainement plus au chaud et plus tranquille pour se blottir et regarder.

Pendant ce temps, Hannan, qui était arrivé là avec les bergers, regardait autour de lui avec stupéfaction.

Quelle merveille, que ce qui était en train de se produire! Quelle merveille!

Les anges avaient dit vrai: il y avait bien une maman, là, devant eux, et tout à côté, une mangeoire où elle avait couché un petit enfant enveloppé de langes.

Hannan n'arrivait pas à détacher de lui son regard. Pourtant, ce n'était certes pas le premier petit bébé qu'il voyait!

Il prenait plaisir à le regarder comme si l'enfant allait d'un moment à l'autre ouvrir les yeux et le voir lui, Hannan, avant tous les autres, et lui faire comprendre quelque chose d'extraordinaire. Il était heureux, et ce bonheur aurait été parfait s'il n'avait eu, au même instant, une pensée inquiète qui le harcelait et remplissait son regard de crainte.

Rech. Où donc était Rech? Le troupeau était parti à l'improviste. Le petit agneau était sans doute resté derrière, ou qui sait, peut-être dormait-il encore sur l'autre colline? S'il avait été ici, Hannan l'aurait déjà trouvé. Il sentait l'inquiétude monter en lui.

En un moment comme celui-ci, il fallait que Rech soit là! Hannan savait qu'il s'agissait d'une nuit unique, et en plus, d'une nuit remplie d'une extraordinaire et inexplicable douceur. Il regardait les bergers qui lui paraissaient plus attendris que jamais: on aurait dit que tous éprouvaient un grand amour les uns pour les autres et pour le monde entier. Tandis qu'ils regardaient l'enfant dans la mangeoire, ils paraissaient disposés à tout, tout ce qui est bon et beau, même à ce qui est difficile.

Et Rech n'était pas là.

Lorsqu'on est vraiment ami avec quelqu'un, on sait très bien qu'il n'est pas possible de connaître une joie sans que cet ami la connaisse aussi. Et si l'ami n'est pas là, la joie s'en va.

C'est précisément ce qui se passait dans le cœur de Hannan. Avec quelque chose en plus.

La joie qu'il ressentait à cause du petit enfant dans la mangeoire ne le quittait pas. Hannan comprenait qu'elle était trop importante. Mais justement parce qu'elle restait, elle devenait une douleur, presque une protestation. Pourquoi fallait-il que dans un moment pareil Rech ne soit pas là, alors qu'ils avaient toujours été ensemble, même à des moments moins importants? Ils n'auraient jamais pu être aussi heureux que maintenant.

Hannan ne sut plus résister. Il regarda le petit enfant avec intensité comme pour lui dire: «Je ne m'en vais pas, mais il faut que tu comprennes que je dois trouver Rech.» Et il se tourna vers la nuit. Il devait trouver Rech à tout prix.

Personne ne s'aperçut de son départ; personne ne le retint. Le petit garçon arriva dans une zone de profonde noirceur et ressentit tout de suite beaucoup d'incertitude et de tristesse. Le monde devant lui n'était qu'obscurité et mystère. Derrière lui, au contraire, il y avait cette lumière amicale et douce qui paraissait le rappeler. Pourtant, il devait partir à la recherche de Rech, il ne pouvait pas le laisser seul et perdu dans un moment pareil.

Il s'avança sur la route à contrecœur. Puis il s'arrêta, dans l'espoir que son agneau ne serait pas si loin. Il avait les larmes aux yeux quand il appela tout doucement au cas où l'agneau se trouverait tout près:

— Rech...

Pas de réponse.

— Rech! répéta l'enfant, un peu plus fort.

Tout se taisait. Il lui semblait que jamais le silence n'avait été plus vide et douloureux. Puis, son cœur bondit de joie, car de l'intérieur

64

de la maison, là où se trouvait l'enfant dans la mangeoire, il avait entendu longuement, clairement, nettement, un «Bêêêêê!»

D'un bond, Hannan se précipita vers la lumière. Il s'arrêta un moment, indécis, au milieu des grandes personnes, juste assez longtemps pour entendre de nouveau le bêlement tendre.

Rech s'était couché sous la mangeoire.

Hannan s'approcha pas à pas en regardant l'enfant enveloppé de langes, qui avait encore les yeux fermés. Et voilà: sans détacher son regard de ce doux visage, il aperçut, sous une saillie du mur, la forme blanche de Rech.

Miracle! L'agneau bêla encore, mais il ne bougea pas comme il l'aurait fait en d'autres circonstances. Il resta immobile, comme s'il avait trouvé là le plus doux nid du monde.

Et le plus beau fut que Hannan vint se placer tout près de Rech: les deux amis avaient enfin trouvé un coin de paradis et il n'y avait plus rien à dire ou à faire, désormais, que d'y rester en paix.

— Il me semblait bien que tu ne pouvais pas être loin, murmura Hannan avec un bref coup d'oeil vers l'agneau.

A ce moment précis une chose se produisit que le petit garçon n'oublia jamais: l'enfant dans la mangeoire bougea, mais sans s'agiter. Il ouvrit les yeux et regarda Hannan; son regard était si vrai, si heureux, si rassurant, que Hannan en fut stupéfait. C'était comme si l'enfant avait voulu lui dire:

— Pouvais-tu vraiment douter? Pouvais-tu croire qu'ici, avec moi, tu n'aurais pas trouvé ton agneau? Je suis venu pour ça, précisément: toutes les amitiés sincères et vraies, bonnes et humbles, innocentes et fidèles sont à moi. Ne l'oublie plus.

L'enfant referma ses yeux. Rech bêla doucement. Hannan demeura immobile et ému. Puis il rit en dedans, car il comprit tout

à coup dans son cœur combien était vrai tout ce que l'enfant lui avait dit en le regardant. Il comprit qu'il aurait été impossible que, par une nuit comme celle-là, et devant cet enfant, deux amis comme Rech et lui se perdent.

— Même, murmura-t-il, c'était plus que jamais le moment de nous trouver.

Il remercia l'enfant dans son cœur, tandis que Bariona et les autres bergers entonnaient une prière. Alors la maman du petit enfant enveloppé de langes se mit à prier avec eux.

Piera Paltro

66

La rose de Noël

 Noël, la campagne est dépouillée, déserte, sans fleurs. Mais il y a quand même une corolle qui fleurit pendant la rude saison.

C'est une espèce d'anémone aux pétales blancs à peine teintés d'un rose pâle, et qui se nomme la rose de Noël. Une belle histoire d'amour est liée à cette fleur.

Il y avait une fois un brigand qui vivait dans une immense forêt. Il avait commis beaucoup de vols et d'agressions, et il lui avait été interdit de retourner parmi les hommes.

Il passait ses jours dans une caverne en compagnie de sa femme et de ses cinq enfants. Si un voyageur s'aventurait par là, le brigand n'hésitait pas à l'assaillir et à lui dérober ses biens. Mais il arrivait aussi que, pendant des mois et des mois, personne ne traverse la forêt, et alors la femme du brigand devait aller mendier au village. Un jour, justement, elle s'en alla demander l'aumône, accompagnée de ses enfants qui ressemblaient à des sauvages, vêtus comme ils l'étaient de peaux de bêtes et chaussés de sandales faites avec de l'écorce de bouleau.

Elle arriva à la porte d'un couvent et sonna. Le frère portier lui ouvrit et lui donna six petits pains.

Comme elle s'en retournait, la femme sentit qu'un de ses marmots la tirait par la jupe.

— Regarde, maman, disait-il. Il y a une porte ici. Viens voir.

Dans le mur d'enceinte, on pouvait en effet entrevoir une petite porte à moitié cachée. Elle n'était pas fermée, et la femme du brigand la poussa.

Une vision merveilleuse s'offrit à son regard: le jardin des frères était tout en fleurs, il flamboyait de jaune, de rouge et de violet sous le ciel bleu. Elle sourit, et se risqua dans une allée. Elle rencontra un moinillon qui arrachait des mauvaises herbes. En la voyant, il lui cria:

— Va-t'en! Aucune femme n'a le droit d'entrer ici!

— Je suis la femme du brigand, répondit-elle, en se redressant d'un air menaçant. Chasse-moi donc si tu peux!

Le moinillon tenta de la persuader de partir, en vain. Alors, il alla chercher l'abbé Jean, qui était un vieux moine, courbé et tremblant.

Ce dernier lui demanda doucement:

— Tu aimes notre jardin?

La femme regarda le vieillard aux cheveux blancs et répondit:

— Oui, il est beau. Mais moi, j'en connais un qui est encore plus beau.

— Vraiment, fit le frère Jean. Et où donc l'as-tu vu? Tu restes toujours dans la forêt...

— Justement, dans la forêt. Toi qui es un saint homme, tu devrais connaître ces choses. La nuit de Noël, la forêt devient un jardin merveilleux pour fêter la naissance de l'enfant Jésus.

— J'ai entendu parler de ce miracle, répondit le vieil abbé. La veille de Noël, je te prierai de m'envoyer un de tes enfants. Il me montrera le chemin et je le suivrai sur mon âne. Tu me donneras l'hospitalité dans ta caverne et je pourrai ainsi assister au divin prodige de la forêt.

— Bien, bien, répondit la femme du brigand. Mais tu ne devras être accompagné que d'une seule personne, et tu devras promettre de ne pas nous trahir.

— Certainement, répondit le frère. Même, j'essaierai de te récompenser le mieux possible.

Peu de temps après, l'évêque vint visiter le couvent, et le frère Jean lui raconta l'histoire de la femme du brigand.

— Ces cinq enfants me font pitié, dit-il. Je voudrais que leur père puisse retourner parmi les hommes, sans quoi ils deviendront sauvages et méchants.

Mais l'évêque secoua la tête; il n'était pas convaincu.

— Vois-tu, si Dieu permet que le miracle de la forêt apparaisse à leurs yeux, insista le frère Jean, c'est signe qu'ils ne sont pas si pervers qu'ils ne mériteraient pas le pardon et la clémence.

— Bien, répondit l'évêque. Bien. Apporte-moi une fleur de Noël cueillie dans la forêt, et moi je te donnerai alors une lettre de grâce et d'absolution pour le brigand.

La veille de Noël, la femme du brigand envoya l'un de ses fils au couvent, tel que promis. Le frère Jean enfourcha son âne et, suivi d'un moinillon, il se rendit dans la forêt.

La route était longue, le sentier aride, le froid terrible.

Arrivé à la caverne du brigand, le vieillard était rompu de fatigue. Rien dans la grotte ne ressemblait à une veille de fête. Autour de la casserole où cuisait une soupe d'eau et d'herbe, les enfants jouaient sur le sol couvert d'immondices et de débris de toutes sortes. L'abbé Jean était si fatigué qu'il put à peine toucher à la nourriture qu'il avait apportée avec lui; il en prit une bouchée et il donna le reste aux enfants.

— Ils me font pitié, dit-il à la femme du brigand, d'une voix suave. Je voudrais les aider. S'ils vivaient dans le village, ils auraient un peu de joie, au moins à Noël.

— Tu sais pourtant qu'il m'est interdit de retourner vivre parmi les hommes, fit alors une voix sourde derrière lui.

C'était le brigand qui rentrait à l'instant.

— Mais je te procurerai l'absolution de l'évêque, fit l'abbé sans se troubler.

L'homme demeura interdit, puis il éclata d'un rire sceptique.

— Eh bien! Je te promets que je ne volerai plus un centime si tu me fais gracier.

Le frère Jean le regarda et lui sourit, serein et radieux.

— Silence! s'exclama alors la femme du brigand. Voici le son des cloches de Noël... Vite, allons-y!

Tous se levèrent et sortirent de la caverne. De loin parvenait le bruit argentin des grelots. Ils marchèrent et furent bientôt au centre de la forêt.

Alors, un miracle se produisit. Une grande ondée de lumière se déversa dans la forêt et, comme par enchantement, la neige disparut en quelques instants, la terre se mit à reverdir, les branches se couvrirent de bourgeons, les petits oiseaux se mirent à gazouiller, les ruisseaux se remirent à couler en murmurant, et des fleurs extraordinaires sortirent de terre. La forêt s'était transformée en un jardin paradisiaque; il aurait été impossible d'en rêver de plus beaux.

Une joie ineffable emplit le cœur du vieux frère, et il eut une vision. Les anges descendaient du ciel en chantant un hymne de gloire. Il tendit les bras et, à ce moment, son cœur s'arrêta, tant son bonheur était grand. Il sentit ses forces le quitter et songea:

— Seigneur, j'ai vu ta lumière; je meurs content.

Au même instant, il se souvint de la promesse faite à l'évêque et, au prix d'un effort suprême, il réussit à arracher du sol une petite pousse. Puis il s'effondra, sans vie.

Le moinillon qui l'avait accompagné le transporta en pleurant jusqu'au couvent. Avant de l'ensevelir, il ouvrit sa main raidie et prit délicatement la plante de la forêt. C'étaient des tubercules blancs, que le frère transplanta dans le jardin.

Au printemps, une belle plante parut, mais le frère attendit en vain qu'elle fleurisse. La veille de Noël, il sortit dans le jardin couvert de neige, et son cœur se serra au souvenir de l'abbé Jean.

Quelle ne fut alors sa surprise! Au milieu de la blancheur de la neige, une petite tige verte portait une fleur très belle, aux pétales blancs. Les moines coururent voir. Le moinillon cueillit la magique rose de Noël et l'apporta à l'évêque en disant simplement:

— C'est l'abbé Jean qui te l'envoie. Il l'a cueillie pour toi dans le jardin de la forêt, la nuit de Noël.

L'évêque gracia le brigand qui retourna vivre parmi les hommes. Lui aussi, comme le frère Jean et comme l'évêque, il tint sa promesse. A compter de ce jour, il fut honnête et repentant, et il éleva ses fils dans la rectitude. En souvenir de ce miracle, tous les ans, dans la neige, fleurit la rose de Noël.

Selma Lagerlöf

70

Le rêve de Céline

'église de la Sainte Trinité est une pauvre église pour les pauvres gens, repeinte et réparée vaille que vaille. Devant, là où se trouvait autrefois le cimetière, il y a maintenant un enclos rempli de fleurs, de juin à octobre.

L'église est isolée avec son presbytère bleu ciel, mais après avoir grimpé pendant une demi-heure, on trouve une grande maison paysanne battue par les vents.

Dans cette maison habitait une famille venue du mont Alverne.

Le père, un ancien dompteur de chevaux, avec ses yeux clairs et sa barbe couleur de mil, ressemblait un peu à Garibaldi, et il tolérait les prêtres et les frères seulement par amour pour sa femme, une fermière forte de corps et d'âme, aimante et sage…

Ils avaient sept enfants: deux garçons et cinq filles.

La plus petite et la plus belle d'entre elles s'appelait Céline.

Son caractère joyeux et affectueux, ses yeux splendides et ses beaux cheveux blonds la faisaient aimer de tous.

Elle venait d'avoir neuf ans. Sa mère lui avait promis de l'emmener à la messe de minuit le soir de Noël.

Ce soir-là, au lieu d'aller au lit, toute la famille s'était rassemblée autour des braises de l'âtre en attendant l'heure de se rendre à l'église.

Céline rêvait aux merveilles de cette messe insolite, en pleine nuit, au cours de laquelle serait apparu le fils de Dieu. C'est ce que sa maman avait dit. Elle avait grandi dans une maison solitaire, au milieu des montagnes, tout près d'un célèbre sanctuaire; sa foi était intacte et absolue. Le Christ devait naître sur terre, dans une heure.

Tous les neuf partirent bientôt; ils descendirent parmi les pierres et les broussailles, dans la lumière rousse de trois lanternes, glacés par les assauts du vent. Entrer dans l'église tiède et illuminée fut comme fuir l'enfer pour trouver le paradis.

Céline s'installa dans l'un des premiers bancs et commença à regarder autour d'elle. Une suite de gradins où brûlaient des flammes claires conduisait jusqu'au grand autel, jusqu'à la porte vitrée de la châsse où la Vierge montrait son clair et doux visage.

Sur la nappe blanche, Céline aperçut un panier d'osier sombre rempli de paille, dans lequel était couché un petit bébé qui souriait en tendant ses bras, comme s'il attendait ou demandait à une mère invisible qu'elle le prenne dans ses bras. Céline en demeura interdite: étaient-ils arrivés trop tard? Ou bien Jésus était-il né trop tôt? Elle commença à le fixer, surprise et absorbée, comme si elle avait attendu qu'il lui réponde.

Le prêtre arriva, habillé de vêtements brodés d'or, et la messe commença. Mais Céline n'y prêtait pas attention. Elle continuait à fixer l'enfant à moitié nu sans sourciller. Il n'était vêtu que d'un pagne blanc retenu à la taille par un cordonnet d'argent. A un moment, elle vit le prêtre prendre le panier dans ses mains, se tourner vers les fidèles et descendre jusqu'à la dernière marche de l'autel.

Les hommes commencèrent à s'approcher du prêtre un à un, ils se penchaient pour embrasser l'enfant et, après une rapide génuflexion, ils retournaient à leur place. Puis ce fut le tour des femmes: les plus vieilles, avec un fichu noir sur leurs cheveux blancs; les jeunes épouses, avec des fichus jaunes ou bleus recouvrant leur chevelure; et enfin, selon la coutume, les enfants, à la fois timides et recueillis.

Céline était la dernière. Elle appuya sa bouche sur la joue de l'enfant; elle sentit que cette joue était chaude, que la chair cédait un peu sous la pression de ses lèvres, comme s'il s'était agi d'une vraie personne.

Son cœur se serra. Si jeune et si simple qu'elle ait été, elle savait que l'enfant était fait de bois et de plâtre. Pourtant, elle avait senti la tiédeur de sa chair, elle avait eu la vive impression que ses yeux rieurs l'avaient regardée. Troublée et tremblante, elle retourna à sa place. Elle se serra contre sa mère et se mit à réciter tout doucement toutes les prières qu'elle connaissait.

Entre-temps, le prêtre avait dit le dernier Oremus et il quittait l'autel.

Tous se préparaient à sortir. Le bruit des pas et les murmures des gens réveillèrent Céline. Sa mère prit sa main et lui fit faire un signe de croix. Après une génuflexion, elles sortirent.

En remontant la côte, la petite fille enveloppée dans un manteau noir songeait au miracle qui venait de se produire. Était-ce vrai? Est-ce qu'elle seule avait connu cette sensation de chaleur et de vie ou si tous l'avaient ressentie?

Ses compagnons de route parlaient de tout autre chose et blaguaient entre eux. S'ils avaient eu la même révélation, seraient-ils aussi indifférents et distraits?

Lorsqu'ils arrivèrent à la maison, la maman de Céline laissa la main de sa fille afin d'ouvrir. On éteignit les lanternes et, dans un gai brouhaha, la petite troupe entra dans la maison.

Mais la petite fille n'entra pas. Elle eut envie de retourner à l'église, de se libérer du doute qui l'assaillait, de vaincre cette illusion.

Elle profita de la confusion pour reprendre la route et arriva à l'église à tâtons. La porte était entrouverte: elle entra. Les chandelles étaient éteintes. Seule brillait la lampe du sanctuaire. Il n'y avait personne.

Céline s'approcha en silence de l'autel, comme un voleur. Le panier avec la paille s'y trouvait toujours. Elle tendit l'oreille pendant quelques instants mais elle n'entendit que les battements de son cœur. Elle se donna du courage et allongea la main. Encore une fois elle sentit sous sa paume timide la tiédeur et la douceur de la chair de l'enfant.

Elle eut peur et recula. Elle courut jusqu'à la porte de l'église, mais le vent glacé qui l'accueillit la fit revenir sur ses pas. Cet enfant, toute la nuit seul, dans ce froid, dans cette église vide et glacée! Elle enleva son manteau et, avec une délicatesse toute maternelle, elle en recouvrit le petit enfant. Puis elle s'enfuit dehors, bouleversée.

Il n'y avait ni lune ni étoiles.

Céline, distraite et tremblante, ne s'aperçut pas qu'elle se trompait de chemin... Quand elle le vit, il était trop tard. Elle voulut revenir sur ses pas, mais au lieu de revenir vers l'église elle s'égara dans un sentier qui menait vers la grand-route. Elle butait contre des pierres, les ronces déchiraient ses mains engourdies. Elle découvrit par hasard un amoncellement de feuilles et de branches et résolut d'instinct de s'arrêter et d'attendre là, à l'abri, l'arrivée du matin.

Elle s'installa du mieux qu'elle put. De temps à autre elle appelait sa mère; de temps à autre elle demandait à la Madone de la protéger. Le froid intense et la peur la faisaient pleurer. Elle croyait entendre des voix l'appeler, mais elles étaient trop lointaines. Gelée par le vent de tramontane, elle n'avait plus la force de crier.

Mais voici que dans ce demi-sommeil agité, elle sent que l'on prend sa main et qu'on l'appelle. Elle se retourne; on dirait que le jour va se lever. Dans la blancheur de l'aube, elle voit à côté d'elle l'enfant, revêtu de son manteau rouge.

— Tu as été bonne avec moi, dit une voix, et je veux te récompenser. Viens. Accompagne-moi. Je te montrerai le pays où je suis né.

76

Céline se leva sans rien dire et prit la main de l'enfant avec cette assurance qui provient de l'innocence, et ils se mirent en route.

Le vent s'était arrêté d'un coup. Sous les pas des deux enfants il n'y avait plus la rugosité des pierres, mais la douceur de l'herbe et de la mousse. Les oiseaux chantaient comme au printemps. On entendit au loin le son argentin d'une cloche de berger. Le soleil envahit tout à coup l'orient. La petite fille n'osait pas se tourner vers son compagnon, mais elle regardait autour d'elle. Elle ne reconnaissait pas le pays familier où elle avait grandi.

L'enfant ne parlait pas mais il la tenait toujours par la main. Ils rencontrèrent un vieillard vêtu de blanc, mais il ne regarda même pas les deux enfants, comme s'ils avaient été invisibles. Puis, une femme passa, portant sur sa tête une cruche de cuivre. Il y eut aussi un jeune homme, qui poussait devant lui deux ânes, et un autre garçon brun qui portait sur ses boucles sombres une guirlande de fleurs rouges. A droite défilèrent lentement de très hauts animaux bossus qui firent s'ouvrir encore plus grands les yeux magnifiques de Céline.

Ils continuaient à marcher. Ils entendaient des bêlements de brebis, des appels de bergers, des mugissements, des cocoricos aigus.

Et voici qu'apparut une ville immense et merveilleuse entourée de murailles presque neuves: une rangée de terrasses blanches inondées de soleil, surmontées de tours imposantes et, au-dessus, une forteresse gigantesque, blanche et dorée.

A cette vue, l'enfant s'arrêta.

— Allons-nous-en, dit-il à Céline. La mort m'attend dans cette ville.

— La mort? Pourquoi?

— Tu ne peux pas le savoir encore. Mais entre ces murs je serai condamné, et je mourrai près de ces murs.

— Mais non, ce n'est pas possible… tu es le fils de la Madone… tu es bon…

— Pourtant on me trahira, on me clouera sur la croix. On viendra me prendre au milieu de la nuit, à la lueur de lanternes…

Céline éclata en sanglots. Terrorisée, elle vit à travers ses larmes que la nuit était revenue et que les lanternes annoncées par l'enfant l'entouraient. Des visages illuminés la fixaient, des voix et des cris réveillèrent en elle le souvenir de sa vie de tous les jours.

Toute sa famille était là, avec des lampes, autour de son corps tremblant couché dans les feuilles. Ils l'avaient cherchée

78

en criant, et maintenant qu'ils l'avaient trouvée, ils se taisaient.

Mais dans la grande noirceur de la nuit, le vent avait repris son éternel ululement.

La mère, qui était grande et forte, se précipita vers sa fille, l'embrassa comme une lionne qui retrouve ses petits, la cacha sous son châle et se mit en route sur le chemin pierreux en courant presque, tant elle était heureuse.

Céline ne dit rien à personne de ce qu'elle avait entendu et vu cette nuit-là. Mais plus tard, beaucoup plus tard, quand elle avait vingt ans passés, elle raconta tout à l'homme qui l'aimait.

Giovanni Papini

GIOVANNI PAPINI, prosateur, poète et romancier a, d'une certaine façon, renouvelé la culture italienne. Parmi ses œuvres nombreuses, mentionnons *L'histoire du Christ, Les ouvriers de la vigne, Gog, Le Diable.*

Noël au fond de la mer

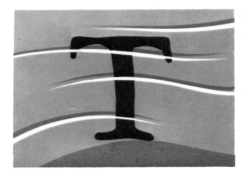

rois marins du submersible s'approchèrent de moi, les yeux rieurs.

— S'il vous plaît, commandant, pourriez-vous venir voir un moment, au local 20?

— Voir quoi?

— Nous avons préparé la crèche.

Le local 20 est un corridor de quelques mètres carrés, tout au fond du submersible. Je descendis l'échelle et regardai autour de moi. Toujours les mêmes tuyaux au plafond, toujours les mêmes canalisations d'électricité rampant un peu partout et, de chaque côté, des armoires en fer.

Pas de crèche.

Je croyais trouver une grande et belle chose, resplendissante de lumière. Mais rien. Des murs nus et c'est tout.

L'un des trois marins sortit une clé de sa poche et ouvrit le judas d'une petite armoire. La crèche était là. Rien n'y manquait, même dans un espace aussi restreint: l'étable, la Sainte Famille, le bœuf et l'âne, les bergers, les chiens, les joueurs de cornemuse, la toile de fond avec les montagnes, les lanternes, et les Rois Mages, placés le plus loin possible pour montrer la grande distance qu'ils avaient encore à parcourir. C'était grandiose!

Dino Buzzati

DINO BUZZATI, journaliste, écrivain et dramaturge, est né à Belluno en 1906 et est mort à Milan en 1972. Parmi ses œuvres, notons *Le désert des Tartares, Barnabo des montagnes, Un amour.*

La légende du jasmin

l arrive que les fleurs soient si belles avec leurs pétales délicats et leur parfum enchanteur que les hommes croient qu'elles ont une origine miraculeuse. Une légende raconte comment est apparu le jasmin.

La nuit où est né l'enfant Jésus à Bethléem, il neigeait et il faisait un froid terrible. Dans l'étable où l'enfant était étendu sur la paille, le bœuf et l'âne le réchauffaient doucement de leur haleine. Et l'enfant dormait d'un doux sommeil. Tout près veillaient la Madone et saint Joseph.

Tout à coup, une rafale de vent envahit l'étable, et la porte mal assujettie s'ouvrit toute grande. Une bouffée d'air glacial et de neige entra dans l'étable. Saint Joseph courut fermer la porte, mais un flocon de neige s'était déposé sur le front de l'enfant Jésus.

Craignant que l'enfant ne s'éveille, la Madone se pencha sur lui et enleva de son front le flocon blanc par un baiser.

Miracle! le flocon fondit sous la chaleur des lèvres mais il se transforma en une petite fleur au parfum intense et aux pétales blancs comme neige.

Le jasmin était né du baiser de la Madone sur le front de l'enfant Jésus.

M. Tibaldi Chiesa

83

L'arbre de Jésus

n soir, un enfant de six ans ou moins s'éveilla dans une cave humide et froide. Il était habillé de vêtements usés et il tremblait. Assis dans un coin, il s'amusait à regarder la vapeur blanche de son haleine sortir de sa bouche, mais bientôt, il eut faim. Tout près de lui, sur une paillasse, la tête appuyée sur des fagots, sa mère était étendue. Ils étaient venus tous deux d'un pays lointain, mais elle, dès leur arrivée, était tombée malade. La propriétaire de leur misérable logis avait été arrêtée deux jours auparavant. Tous les locataires étaient dehors, car c'était jour de fête, sauf un vendeur ambulant qui gisait comme mort depuis la veille, n'ayant pas voulu attendre la fête pour s'enivrer.

Il y a aussi une vieille femme, sans doute une ancienne nourrice, qui se meurt toute seule dans un coin. L'enfant n'ose pas l'approcher parce qu'il l'entend se plaindre. Il a faim, et il se rend près de sa mère pour l'éveiller.

Il a peur du noir. La nuit est tombée depuis longtemps, mais la lanterne reste éteinte. L'enfant touche le visage de sa mère dans l'obscurité et il s'étonne de le trouver aussi froid.

— Il fait trop froid ici, songe-t-il, et il attend, ne se rendant pas compte qu'il a posé sa main sur la tête d'une morte.

Puis il se lève et souffle sur ses doigts pour les réchauffer. Mais c'est inutile. Ils semblent engourdis. L'enfant se tourne encore vers sa mère mais elle ne bouge pas. Pour ne pas la réveiller il marche sur la pointe des pieds. Il aperçoit, sur la paillasse, son béret de laine. Il décide alors de sortir de la cave.

Il l'aurait fait avant, s'il n'avait pas eu peur d'un chien qui a passé la journée à aboyer dans l'escalier. Mais maintenant, le chien n'est plus là et l'enfant sort dans la rue.

Mon Dieu! quelle grande ville! Il n'en a jamais vu de semblable. Là-bas, dans le village où il est né, il n'y avait qu'une lampe pour éclairer chaque rue. Dès que tombait le soir, tous s'enfermaient dans leur maison de bois et les rues étaient désertes.

Mais dans son village, il faisait chaud, et il ne manquait jamais de pain. Ici, au contraire, il y a tant de lumière, tant de bruit. Les chevaux et les carrosses vont et viennent. La neige recouvre les pavés et il fait très froid.

Voici une autre rue, large, illuminée, où tout le monde court et parle fort. Derrière une fenêtre il aperçoit une pièce avec un grand arbre de Noël, couvert de bougies, de douceurs, de jouets et de papiers dorés.

Autour du sapin, il y a des enfants bien habillés qui rient, chantent, mangent, pendant qu'une douce musique se répand tout autour d'eux. Le pauvre petit regarde par la fenêtre, et il est stupéfait de tant de magnificence, mais ses pieds lui font mal et il n'arrive plus à plier ses doigts rouges de froid. Alors, il se met à courir en tentant d'étouffer ses pleurs. Mais voici que derrière une autre fenêtre, il y a un autre arbre encore plus beau que le premier, constellé de lumières comme un firmament. Dans la pièce, il y a une table couverte de victuailles, et quatre belles dames offrent des gâteaux à tout le monde. La porte s'ouvre continuellement, et des messieurs entrent dans la maison. L'enfant se mêle à eux et entre aussi, en essayant de ne pas se faire remarquer. Mais on le repère, et tout le monde le gronde.

Une dame le regarde avec douceur, dépose un sou dans sa main et le pousse dehors.

Le pauvre enfant a peur, et le sou tombe de sa main qui n'a plus la force de le retenir. Il court maintenant encore plus vite, mais il ne sait pas où aller, il a peur. Il court et souffle sur ses doigts gourds. La tristesse s'empare de lui parce qu'il se sent seul, et il regarde autour de lui, égaré. Un groupe de personnes observent avec admiration par une autre fenêtre trois marionnettes vêtues de rouge et de vert et qui paraissent vivantes.

L'une d'elles représente un vieillard qui joue du violoncelle, les deux autres jouent du violon en inclinant la tête au rythme de la mélodie. Leurs lèvres remuent comme si elles parlaient. L'enfant croit que les marionnettes sont vivantes, mais quand il comprend que ce sont des pantins, il rit, parce qu'il n'a encore jamais vu de pareils jouets. Il rit, et pourtant, il a envie de pleurer. Mais ce serait ridicule de pleurer pour des poupées. Puis, un gamin à l'aspect méchant s'approche de lui, jette son béret par terre et tente de le faire tomber en le bousculant.

Le pauvre petit trébuche, se relève et se met à courir, poursuivi par les cris des gens. Finalement, il trouve une cour et se cache derrière une pile de bûches.

— Ici, personne ne pourra me trouver, songe-t-il. Il fait noir.

Il se recroqueville par terre. Il se sent mourir de peur, mais tout à coup il se rend compte que ses petites mains et ses petits pieds ne lui font plus mal. Il a chaud. Il sent une douce chaleur, comme s'il était assis à côté du poêle. Il est sur le point de s'endormir.

Comme c'est bon de dormir!

L'enfant pense:

— Je vais rester ici un peu. Puis je retournerai voir les jouets. Et il sourit dans son demi-sommeil.

Ensuite, il entend la voix de sa maman qui chante les chansons qu'elle a toujours chantées.

— Je dors, maman, lui dit-il. C'est si doux de dormir ici.

Une voix douce comme celle de sa mère lui murmure: «Viens avec moi voir l'arbre de Noël.»

L'enfant croit encore entendre sa mère, mais ce n'est pas elle. Qui l'a appelé? Il ne voit personne. Puis, quelqu'un l'embrasse dans la noirceur et, tout à coup, il se fait une grande lumière.

Un arbre de Noël apparaît. Il n'en a jamais vu de plus beau. Où donc est-il? Il y a plein de petits garçons et de petites filles entourés de lumière. Tous l'embrassent et le serrent dans leurs bras. Et lui, il entre dans la lumière avec les autres, et il aperçoit sa maman qui lui sourit.

— Maman, comme c'est beau ici! crie-t-il.

Il embrasse encore ses petits compagnons, et il voudrait leur raconter comment il a vu des marionnettes derrière la fenêtre, mais il leur demande d'abord: «Qui êtes-vous?»

— Nous sommes les petits invités de Jésus. Il a toujours un arbre de Noël, en ce jour, pour les enfants qui n'en ont pas.

Alors l'enfant comprend que ces petits sont comme lui: certains ont été abandonnés dans la rue, d'autres sont morts dans les orphelinats, d'autres ont été vaincus par le froid. Mais tous ont maintenant été changés en petits anges, tout près de Jésus qui sourit en les bénissant et en bénissant leurs pauvres mères.

Les mamans aussi sont ici, et elles pleurent. Mais les petits enfants essuient leurs larmes par une caresse, et leur demandent de sourire, parce qu'ils sont heureux.

Dans la cour, derrière le tas de bois, le portier trouva, à l'aube, le petit garçon mort de froid. Plus loin, dans une cave, quelqu'un d'autre trouva la maman, morte avant lui. Mais ils se sont tous les deux rencontrés dans la lumière de Dieu.

Fedor Dostoïevski

FEDOR DOSTOÏEVSKI est un des plus grands écrivains de tous les temps. Né à Moscou en 1821, mort à Saint-Pétersbourg en 1881, il a écrit, entre autres choses, *Les pauvres gens, Souvenirs de la maison des morts, Crime et châtiment, Les possédés, Les frères Karamazov, L'idiot.*

Satellites et cornemuses

ille tours! s'exclama joyeusement Selen 2 tandis qu'il effleurait amicalement Half 3 avec lequel il partageait dans l'espace les orbites et les impressions.

Selen et Half étaient deux satellites artificiels et ils passaient leur temps à tourner autour de la Terre, qui était très belle à voir de cette hauteur, pour y envoyer des messages et des nouvelles qu'ils recevaient de leur base.

— Mille tours! répéta Half, tout aussi heureux. Bravo. Mais laisse-moi te dire que tu es jeune. Figure-toi que, moi, j'ai derrière moi cinq mille orbites et des poussières. Quoi qu'il en soit, je suis bien content de t'avoir rencontré par ici, et j'espère que nous continuerons à tourner ensemble encore un bout de temps.

— Je l'espère aussi! cria Selen avec ferveur.

Il aurait été très malheureux d'orbiter tout seul à ces hauteurs.

Si les hommes qui avaient envoyé dans l'espace les deux satellites transmetteurs avaient pu entendre leurs propos, ils n'en auraient sans doute pas été très satisfaits. Il faut dire tout de suite, à la vérité, qu'ils appartenaient à deux grandes puissances mondiales qui se considéraient comme ennemies, qui se regardaient de travers et qui se servaient de satellites pour se dire des choses pas du tout gentilles et agréables.

En somme, les deux satellites auraient dû se sentir ennemis l'un de l'autre, ce qui veut dire qu'en se croisant à 250 kilomètres (s'ils étaient en orbite basse) et à 1200 kilomètres (s'ils étaient en orbite haute), ils auraient dû simplement faire des «Pfuiiii!» de pitié et de mépris, ou de menace et d'hostilité, selon les cas, exactement comme faisaient sur Terre leurs seigneurs et maîtres, les hommes. Et puis, lorsqu'on circule à une certaine hauteur de la Terre, on regarde tout sous un angle différent. Lorsqu'on est fin seul dans les grands espaces, on souhaite beaucoup plus échanger quelques mots en paix avec le premier venu.

Enfin, deux satellites, cela se ressemble beaucoup, et il est naturel qu'ils se trouvent sympathiques et qu'ils parlent entre eux de ce qu'ils ont en commun.

C'est précisément ainsi qu'était née l'amitié entre Selen et Half.

Un jour, Selen avait soupiré:

— Quelle chaleur! Il n'avait encore jamais parlé à Half qui passait justement à côté.

— Courage! avait répliqué Half gaiement. Après deux ou trois cents tours, on s'y fait. Nos constructeurs ont pensé à tout avec beaucoup de soin. Par exemple, ils m'ont donné un vernis formidable. Ils m'ont aussi revêtu de quartz et de saphir synthétique. Même si le soleil tape, je suis plutôt confortable.

— Saphir artificiel? s'était exclamé Selen, tout émerveillé. Moi aussi! C'est ça que je porte!

— Tu vois? Tout ira bien pour toi aussi. Tu n'as pas à t'inquiéter. Tu t'habitueras très vite.

Du saphir au quartz, en passant par le reste, les deux satellites s'étaient rendu compte qu'ils se ressemblaient beaucoup, presque autant que deux frères jumeaux, et leur amitié s'était consolidée. S'il avait fallu que leurs orbites respectives soient différentes, Selen se disait qu'il n'aurait pas du tout accepté de tourner seul, et Half non plus. C'était pour eux une grande joie quand ils s'apercevaient de loin. Ils s'envoyaient tout de suite des «Hip! Hip! Hourra!» comme ils en avaient entendu dans les messages qu'ils transportaient dans leurs circuits complexes, et d'autres saluts, tous très amicaux.

Il ne faut pas oublier qu'entre-temps, les deux satellites continuaient à transmettre des messages pas très gentils. Mais ils avaient résolu ce problème une fois pour toutes.

Longtemps auparavant, après une de leurs premières rencontres, Selen avait dit à Half:

— Écoute, il faut que je te dise que je n'ai rien à voir avec les messages que je dois envoyer en bas. Entre toi et moi, ces animosités n'existent pas, n'est-ce pas?

Il y avait un peu d'inquiétude dans sa voix.

Mais Half, déjà, riait pour rassurer Selen.

— Bien sûr que non! Même, je te suis reconnaissant d'avoir parlé de cela. Pour moi, cette question est réglée depuis un bon bout de temps, tu sais. Au début, j'écoutais ce que j'avais à transmettre, puis, je confesse que toutes ces phrases toujours pareilles ont fini par me lasser, et j'ai laissé tomber. Cela ne m'importe pas du tout. Toi et moi sommes sur une longueur d'onde bien différente de celle de ces messages. Pas vrai?

Ces mots avaient rassuré Selen qui, lui aussi, s'était mis à rire.

— Sans compter que tes messages et les miens sont à peu près identiques: il suffirait de changer les noms et les prénoms, de s'échanger les messages, et je te parie qu'en bas ils ne s'apercevraient de rien.

Ils rirent tous deux de bon cœur.

C'était exact. Les hommes étaient vraiment égaux quand ils se disaient des choses par lesquelles ils auraient souhaité être très différents...

Résolu ce problème, les deux amis continuèrent à tracer des orbites en scellant toujours davantage leur amitié, jusqu'au jour où Noël arriva sur la Terre.

Lorsque Selen rencontra Half, il lui demanda quelques explications.

— Toi qui es ici depuis longtemps, peux-tu me dire ce que sont ces lumières qui clignotent sur la Terre? Et aussi pourquoi j'ai l'impression d'entendre, dans ma chambre de réception de droite, un son qui n'y était pas auparavant? Crois-tu qu'il y a un problème électronique?

Half avait ri.

— Ce n'est pas une avarie, Selen. Ce sont des cornemuses. Sur Terre, c'est Noël, et à Noël, on joue de la cornemuse. C'est un instrument doux et calme qui sert à annoncer aux hommes qu'est arrivé parmi eux un petit homme très différent qui les aidera à vivre en paix. Je le sais. Et je le sais parce que j'en ai entendu parler au moment où on me construisait, dans le laboratoire. Je crois que c'est une bien belle chose pour les hommes.

Selen écoutait, ébahi.

Ce devait en effet être une bien belle chose pour les hommes que d'avoir des cornemuses pour faire de la musique (leur son, qui lui parvenait de la Terre, était vraiment très beau), et encore plus beau et agréable d'avoir un tout petit homme pour qui en jouer.

Ils tournèrent un peu en silence, perdus dans leurs pensées, puis Selen dit, d'un air décidé:

— Ce qui est beaucoup moins beau, c'est que, pendant qu'ils jouent de la cornemuse, toi et moi continuons d'envoyer sur Terre des messages méchants.

Half soupira. Il le pensait bien aussi. Mais que faire avec d'aussi étranges créatures?

— Écoute, poursuivit Selen. J'ai une idée. Le soleil qui le frappait à ce moment l'illumina tout à fait.

— Voyons voir, répondit Half, très intéressé.

— Que dirais-tu si, toi et moi, aujourd'hui, au lieu de transmettre les habituelles prises de bec, nous nous consacrions aux cornemuses?

— Aux cornemuses? murmura Half, séduit par cette idée. Dis donc! Ce serait merveilleux!

Les deux satellites, comme tous les satellites qui doivent se débrouiller tout seuls avec les problèmes de l'espace, savaient très bien se programmer eux-mêmes, et aussi régler l'intensité du son, et aussi beaucoup d'autres choses.

— N'est-ce pas? reprit Selen. Pour nous, ce serait un jeu d'enfant, mais tu te rends compte, pour les hommes…

— Ce serait une surprise fantastique, poursuivit Half, enthousiasmé.

Les deux amis ne perdirent pas de temps. Il y eut un brouhaha dans leur structure, des crépitements, deux ou trois déclics, et c'était fait: un doux, un solennel, un heureux son de cornemuses les envahit et se dispersa, grâce à toute l'énergie de leurs puissantes antennes de transmission, jusqu'à la surface de la Terre.

— Magnifique! s'écriait Selen, en dansant sur son orbite.

— Extraordinaire! répondait Half, en dansant lui aussi joyeusement tandis qu'il s'éloignait.

Naturellement, ce ne fut pas aussi simple sur la Terre où, aux deux Bases Ultrasecrètes situées aux antipodes l'une de l'autre, les deux Groupes Spéciaux de Techniciens et de Directeurs de Propagande sautèrent de surprise sur leur chaise et se regardèrent sans plus rien comprendre. Qu'est-ce que c'était que cette histoire de cornemuses?

— Numéro Six! Le Chef du Service d'Urgence s'était précipité sur le téléphone. Numéro Six! Est-ce qu'ils sont devenus fous à la Base?

Entre-temps, à l'autre bout du monde, l'autre Chef du Service d'Urgence posait la même question à son subalterne, le Numéro Cinq. Le Numéro Six et le Numéro Cinq se renseignèrent le plus vite possible et répondirent que non, ils n'étaient pas devenus fous à la Base.

Après avoir reçu cette information — qui était d'importance capitale — il y eut beaucoup de confusion dans la tête des deux Chefs du Service d'Urgence. Aucun d'eux ne savait sur quel pied danser. Pendant ce

temps, Selen et Half continuaient à s'amuser en orbite et les cornemuses continuaient de jouer. Une atmosphère de fête envahissait tous les coins de la planète et produisait de merveilleux effets.

— Salut! Meilleurs vœux!

Les gens se saluaient sans se connaître.

Tous regardaient dans les airs sans comprendre d'où leur arrivait un message si agréable, et ils hochaient la tête de satisfaction en commentant:

— Finalement! Ils ont enfin eu une bonne idée, ces gens de l'espace!

Beaucoup de personnes qui se regardaient férocement depuis des années se rencontrèrent et se serrèrent la main: comment aurait-il été possible de faire autrement quand descendait du ciel une musique aussi pacifiante et rassurante?

Aux Bases, cependant, la confusion régnait. Ce n'est pas que l'on ignorait comment faire taire les deux satellites, non. Les Techniciens avaient tout compris: il y avait là-haut une mystérieuse avarie. Mais (c'est incroyable, mais vrai), lorsque le Numéro Six était accouru dans le bureau du Chef du Service d'Urgence pour le consulter, il était entré sans frapper et il l'avait trouvé debout, au milieu de la pièce, en train de danser au son de la cornemuse. Et le plus beau est que, en l'apercevant, le Chef ne s'était pas arrêté de danser mais il avait continué, en disant:

— Joyeux Noël, mon ami!

La même chose était arrivée au Numéro Cinq et à son Chef (même si les deux puissances étaient hostiles). Après quoi, aux Bases, il y avait eu un climat de fête tout à fait inattendu. On avait même sorti des cachettes des gâteaux et des bouteilles pour célébrer.

Pendant ce temps, Selen et Half voyageaient béatement dans le soleil, et la musique sortait d'eux avec toujours plus d'assurance.

— Tu sais, Selen, dit Half, comme ils s'apprêtaient à survoler une vaste zone d'ombre qui recouvrait une partie de la Terre, j'aimerais que quelqu'un, en entendant ces mélodies de cornemuse, regarde vers nous et comprenne que c'est nous qui les transmettons. Beaucoup de gens seraient heureux de savoir que deux satellites comme nous, normalement tenus de se chamailler, se sont au contraire mis d'accord pour entourer la Terre de bonheur.

— J'aimerais bien aussi, répondit Selen.

Le soleil les illuminait. Ils traversèrent le ciel comme deux étoiles traversent la nuit. Et, en effet, ceux qui, d'en bas, les regardaient pouvaient croire qu'il s'agissait d'étoiles.

— Regarde, maman, crièrent Fabrice et Monique. Ils étaient à cet instant sur la terrasse, bien emmitouflés dans leurs cache-nez, et ils cherchaient dans le ciel l'étoile des Mages qui voyageait sûrement là-haut vers l'étable de Bethléem.

— Viens, maman, il y a deux étoiles qui se dirigent vers nous. Viens voir comme elles sont brillantes. Dis, maman, est-ce que ce sont des étoiles de Noël?

La maman sortit sur la terrasse et regarda elle aussi les deux satellites qui traversaient le ciel côte à côte et qui brillaient d'une lumière très vive. Elle comprit qu'il s'agissait de satellites, mais elle pensa que dans le cœur des enfants ce n'est pas important que ce soit une étoile ou un engin qui se promène là-haut la nuit de Noël, parce que dans le cœur des enfants il y a une lumière qui plaît à Dieu. A cause de cette lumière, les enfants comprennent et voient des choses que les grands ne comprennent et ne voient plus. Elle répondit:

— Ce sont certainement des signes de lumière. Cela devrait suffire

pour que nous nous rappelions tout ce que nous abritons dans notre âme, mes petits.

Monique et Fabrice se turent. Ils s'absorbèrent dans la contemplation des deux points lumineux, tandis que le son des cornemuses continuait à tout envelopper.

— C'est vraiment Noël, dit Monique. Il y a des étoiles qui voyagent dans le ciel et de la musique qui descend sur Terre. J'aimerais bien que ce Noël ne finisse jamais et que tout le monde soit aussi heureux que nous.

La maman sourit dans l'obscurité.

Pendant ce temps, Selen disait à Half:

— Tu sais que nous avons de la chance? Il me semble que de ma Base plus personne n'envoie de messages grossiers.

— J'allais te dire la même chose, Selen, répondit Half, tout heureux. Ils se mirent à l'écoute. C'était vrai.

Aux Bases, tout était silencieux. Noël était peut-être vraiment arrivé?

Selen et Half firent une pirouette de joie sur leur orbite. Les deux satellites auraient été encore plus heureux s'ils avaient su combien Monique et Fabrice étaient heureux de vivre en ce moment le plus beau Noël de leur vie.

De petites étoiles, de la musique, de la paix...

— Bravo! crièrent les deux satellites.

— Bravo! crièrent les deux enfants.

Ils ne savaient pas qu'ils avaient crié ensemble. Mais leurs voix montèrent, se rencontrèrent dans l'espace, et elles se fondirent dans le son des cornemuses qui continuait à pleuvoir gaiement sur la Terre.

Piera Paltro

96

L'homme qui n'était pas le Père Noël

C'était un vieillard à la longue barbe blanche, qui aimait beaucoup les enfants. Il était très pauvre, et il ne pouvait rien leur donner, mais à Noël, tous les ans, il aurait bien aimé être le Père Noël.

— Ah! comme je m'amuserais si j'étais le Père Noël! songeait-il. J'aurais un sac rempli de jouets, un sac magique qui ne se viderait jamais. Comme je serais heureux!

Une fois, quelques jours avant Noël, le vieillard vit une petite annonce dans la vitrine d'un grand magasin: «On cherche un homme à la barbe blanche pour être le Père Noël et pour distribuer nos prospectus dans la rue.»

Le vieillard lut l'annonce et se demanda s'ils lui donneraient ce travail. Ce serait vraiment bien de s'habiller comme le Père Noël et de se promener dans la rue, pendant que les enfants le regarderaient! Il en serait très heureux.

Il entra donc dans le magasin et demanda qu'on lui confie le travail en question.

— Ce n'est pas fatigant du tout, lui expliqua le marchand. Il s'agit simplement d'endosser un manteau et des pantalons rouges, des bottes, et de porter un sac sur votre épaule.

— Il sera plein de jouets? demanda le vieillard. A cette idée, ses yeux s'illuminaient de joie.

— Eh bien, non, fit le marchand. Il sera plein de prospectus que vous distribuerez aux passants. J'ai fait imprimer ces dépliants pour inviter les gens à venir acheter leurs cadeaux de Noël dans mon magasin. J'ai pensé que ce serait une bonne idée que d'habiller quelqu'un en Père Noël et de les lui faire distribuer.

97

— Je comprends, dit le vieillard. Mais selon moi, ce serait mieux de donner quelque chose aux enfants.

— Mais quelle idée! répondit le marchand. Essayez plutôt ce costume de Père Noël.

Le costume lui allait tout à fait bien. Le vieillard se regarda dans le miroir. Il ressemblait vraiment au Père Noël. Sa longue barbe blanche retombait sur sa poitrine et ses yeux bleus étincelaient.

Il saisit le sac plein de prospectus et sortit.

C'était la veille de Noël. Tous s'affairaient à leurs emplettes. Comme les enfants ouvraient grand leurs yeux en voyant le vieillard marcher dans la rue!

— C'est le Père Noël! Le Père Noël! Venez voir!

Bien vite les enfants accoururent en foule autour du vieillard, en lui demandant s'ils pouvaient fouiller dans son sac. Mais ils n'y trouvèrent pas l'ombre d'un jouet. Tout ce que le vieillard pouvait donner aux enfants, c'était des bouts de papier. Les enfants en furent très déçus.

— Comme c'est étrange que le Père Noël ne nous donne que des prospectus, dirent-ils. Nous pensions qu'il était bon, et il ne l'est pas. Il n'a même pas de bonbons pour nous...

Le vieillard était bien triste en entendant ces paroles des enfants.

— J'ai mal fait de prendre ce travail, songeait-il. Ce n'est pas bien de faire semblant d'être généreux si je ne peux même pas donner un sou aux enfants! Je me sens très méchant...

Il commença à neiger. Le vieillard marchait par les rues en distribuant ses prospectus aux passants quand, tout à coup, il entendit un bruit insolite. C'était un tintement de grelots.

— D'où peut donc venir ce bruit de grelots, songea le vieillard en regardant autour de lui. On dirait les sonnailles d'un cheval. Mais aujourd'hui, tout le monde conduit une voiture. Il n'y a pas de chevaux ici.

Le vieillard n'avait pas entendu les sonnailles d'un cheval!

A sa grande surprise, il vit arriver dans la rue un grand traîneau tiré par des rennes. Et dans ce traîneau, il y avait... enfin, vous pouvez imaginer qui il y avait dans ce traîneau: mais oui! le Père Noël en personne!

Il se pencha un peu en dehors du traîneau et dit:

— Suis-je bien à Ville-Sous-La-Neige?

Puis il regarda plus attentivement le vieillard et fronça les sourcils.

— Mais tu me ressembles beaucoup! Pourquoi t'es-tu habillé ainsi?

— Eh bien, pour travailler, répondit le vieillard. Mais en réalité, je l'ai fait parce que j'aime les enfants. Je croyais qu'habillé ainsi, ils croiraient que je suis le Père Noël. J'ai pensé qu'ils seraient accourus vers moi et qu'ils en auraient été heureux. Mais je n'ai rien d'autre dans mon sac que des dépliants stupides d'un stupide magasin. Pas un seul jouet à distribuer. Alors, au lieu de rendre les enfants heureux, je les déçois. Je suis bien triste d'avoir accepté ce travail.

— Mais l'intention était bonne, et c'est ce qui compte, fit le Père Noël en souriant. J'aime les grandes personnes qui aiment les enfants. Ce sont les meilleures grandes personnes. Dis-moi, tu ne voudrais pas me rendre un petit service?

— J'en serais heureux, répondit le vieillard.

— Bien. Je n'ai pas encore pris mon thé, et j'ai faim et soif. Cela t'ennuierait beaucoup de t'occuper de mes rennes pendant que je vais prendre le thé? Comme ils n'aiment pas rester immobiles, tu devras leur faire faire un petit tour de ville. Si tu rencontres des enfants, tu n'as qu'à faire ce que moi j'ai toujours fait.

— C'est-à-dire? demanda le vieillard, les yeux brillants.

— Tu dois t'arrêter et leur dire: «Joyeux Noël à toi! Qu'aimerais-tu tirer de mon sac?» Et tu dois laisser l'enfant introduire sa main dans le sac pour prendre ce qu'il désire. Cela ne te déplaira pas trop? Moi, je fais toujours cela.

— Me déplaire? C'est mon plus grand souhait, s'exclama le vieillard qui n'en croyait pas ses oreilles. C'est… enfin… je veux dire… cela me… ah, je ne peux pas vous dire à quel point j'en suis heureux! Je ne peux pas y croire!

Le Père Noël sourit. Il sauta à bas du traîneau et donna les rênes au vieil homme.

— Je reviendrai dans une heure, dit-il. Dès que j'aurai bu mon thé, je serai de retour.

Et il s'en alla.

Le vieillard monta dans le traîneau. Il tremblait de joie. Il vit le sac énorme à côté de lui, qui était comble de jouets! Il fit claquer son fouet et les rennes s'élancèrent dans un joyeux tintement de grelots. Bien vite, ils rencontrèrent trois enfants. Comme ils ouvraient leurs yeux en voyant le Père Noël! Ils étaient fous de joie et ils criaient:

— Père Noël! Père Noël! Arrête-toi un moment!

Le vieillard arrêta les rennes et sourit, radieux.

— Joyeux Noël à vous! Que voulez-vous prendre dans mon sac?

— Une voiture, dit l'un.

— Une poupée, dit l'autre.

— Un livre, s'il vous plaît, fit une autre petite fille.

— Bien. Mettez votre main dans le sac et prenez ce que vous voulez, répondit le vieil homme.

Rayonnants de bonheur, les enfants mirent leur main dans le sac… et chacun en tira précisément ce qu'il avait souhaité. Ils coururent vers leur maison en criant de joie.

Le vieillard s'arrêtait chaque fois qu'il apercevait un enfant; il lui souhaitait Joyeux Noël et il lui demandait ce qu'il voulait. Des dizai-

nes d'enfants heureux tirèrent de l'énorme sac ce qu'ils avaient désiré.

Une heure plus tard, le vieillard ramena le traîneau à l'endroit où il avait rencontré le Père Noël. Celui-ci l'attendait en enfilant ses moufles de fourrure. Il sourit en apercevant le visage rayonnant du vieillard.

— Je vois que tu t'es bien amusé, dit-il. Merci pour ce coup de pouce. D'habitude, je ne donne rien aux adultes, mais ce soir tu pourras suspendre ton bas à la cheminée. Pour cette fois, je ferai une exception. Au revoir!

Il s'éloigna dans le tintement des grelots. Le vieil homme retourna, rêveur, jusqu'au magasin. Il enleva son costume et s'en alla chez lui.

— Je n'ai jamais été aussi heureux, dit-il en allant se coucher. Ah! si les gens savaient combien c'est agréable de rendre les autres heureux! Quelle chance il a, le Père Noël, de voyager partout en distribuant des cadeaux aux enfants!

Puis, le vieillard suspendit son bas à la cheminée, même s'il en était un tout petit peu gêné. Et au matin, à son réveil, que croyez-vous qu'il y trouva? Il y avait dedans une petite bourse magique, une petite bourse toujours remplie de sous d'or! On pouvait en prendre autant qu'on en voulait, il en restait toujours autant!

— Une petite bourse! Une petite bourse magique! s'exclama le vieil homme, tout content. Ah! que je vais m'amuser avec les enfants maintenant!

Et, en effet, il s'amusa beaucoup. Depuis ce jour, il a toujours un sou d'or à donner aux enfants. Qui sait... peut-être avez-vous déjà vu cette petite bourse? Elle est grise, avec un fermoir en or, et sur le devant on peut voir cette inscription en lettres d'argent: «FC». Savez-vous ce que ces lettres signifient? Elles signifient que des sous bien dépensés, des sous dépensés pour le bonheur des autres, sont une «Fête du Cœur».

Enid Blyton
(tiré de *Goodnight stories*)

ENID BLYTON est un écrivain très connu aux États-Unis, surtout pour une série de romans policiers dans lesquels sept enfants et un chien jouent aux détectives.

Les lucioles

n une nuit plus noire que la poix, d'épais nuages avaient recouvert le ciel et aucune étoile n'arrivait à les percer. Dans le silence qui régnait, souverain, sur le désert, on pouvait entendre des sanglots étouffés. Un essaim de petits insectes vola vers le lieu d'où provenait ce seul signe de vie.

Un âne et un homme dormaient sur le sable, pressés l'un contre l'autre pour se réchauffer. Une femme, enveloppée dans un châle, était assise à côté d'eux. Elle tenait dans ses bras un enfant endormi et elle pleurait.

— Pourquoi pleures-tu, femme? demanda l'un des insectes. Elle eut un sursaut, puis, rassurée à la vue des petits êtres qui s'étaient posés sur son châle, elle raconta:

— Le méchant roi Hérode, qui déteste mon fils, a ordonné qu'on le tue, mais un ange du Seigneur nous en a avertis et nous nous sommes enfuis. Les sicaires ont trouvé nos pistes et ils nous poursuivent. Ils nous rattraperont sûrement demain matin, car nous avançons très lentement et eux, ils ont des chevaux très rapides. Il faudrait que nous nous éloignions à la faveur de la nuit, mais les ténèbres sont si épaisses... Mon mari, l'enfant et l'âne se reposent. Moi, je suis moins fatiguée. Et puis, je n'arrive pas à dormir. J'ai trop peur qu'ils nous rejoignent. Je vais réveiller mon mari et nous nous mettrons en route. Espérons que nous ne tomberons pas dans un ravin et que nous ne nous égarerons pas! C'est si difficile de s'orienter sans la lueur des étoiles! Nous courons même le risque d'aller droit vers nos poursuivants!

L'un des insectes parla au nom de ses compagnons.

— Nous, nous voyons bien, même la nuit. Nous vous guiderons jusqu'aux limites du royaume voisin. Là, vous serez en sûreté. Nous vous indiquerons la direction à suivre et vous avertirons de tout danger.

— Oh, merci! s'écria la dame. Que le Seigneur vous récompense pour tant de bonté!

— Allons! le chemin est rude, et nous devons être prudents.

L'homme fut éveillé et mis au courant de la proposition des petits insectes nocturnes.

Naturellement, il accepta avec enthousiasme. Il fit asseoir sa femme sur l'âne et ils se mirent en route.

Les insectes volaient autour et devant les voyageurs en les guidant de leur toute petite voix:

— Un peu plus à gauche.

— Le sentier est dégagé.

— Attention, ici il y a des trous et des pierres.

Après trois heures de route dans la nuit noire, ils arrivèrent au ruisseau qui marque la frontière du royaume d'Hérode. Ils le traversèrent et poussèrent un soupir de soulagement.

— Maintenant nous sommes en sûreté! s'exclama la dame. Merci de tout cœur pour ce que vous avez fait pour nous et pour le petit Jésus. J'aimerais qu'il soit réveillé et qu'il vous remercie, mais il continue à dormir, regardez...

Les insectes aperçurent un visage rose couronné de boucles blondes comme l'or. Ils se posèrent sur la petite tête et mirent un baiser sur le front de l'enfant.

Quand ils reprirent leur vol, la partie inférieure de leur abdomen s'était illuminée au contact des cheveux blonds de l'enfant. Elle resplendissait comme une petite étoile dans la nuit encore noire.

— Dites-moi votre nom pour que je puisse lui parler de vous et de votre bonté envers nous, dit l'homme.

— Nous sommes des créatures si insignifiantes que personne ne nous a donné de nom, répondirent tristement les insectes.

— Je vous en donnerai un, moi, dit la Vierge. Vous vous appelerez «lucioles». Vous serez désormais les porteuses, sur la terre, de la lumière des étoiles.

Renato Greggi
(tiré de *Histoires et légendes de l'enfant Jésus*)

Le Noël des pauvres

n cette ville comme dans tant d'autres villes du monde, Noël était arrivé dans le quartier et dans les cours. Je voudrais pouvoir décrire un Noël fait de Pères Noël en chocolat, d'arbres décorés de tous les biens de Dieu, de crèches, et de cadeaux enveloppés dans des papiers de couleur et des rubans. Il n'y avait rien de tout cela, mais Noël était Noël et l'on trouvait bien un moyen de faire la fête.

Je n'ai plus jamais connu d'aussi beau Noël et j'en éprouve une profonde nostalgie. Aujourd'hui comme hier et comme demain, il y a des pauvres gens, des gens misérables, tous ceux qui sont sans feu ni lieu et à propos desquels on a écrit toute une littérature à l'intention de ceux qui, au contraire, ont tout.

Les pauvres ne connaissent pas ces histoires, et ils font leur propre Noël, enfermés dans leur monde particulier qui est tout à fait différent de celui des autres. Je crois bien que c'est comme ça pour

les pauvres de tous les pays, même, j'en suis convaincu. J'irais jusqu'à dire que je le souhaite.

Tout le monde sait qu'il est préférable de désirer plutôt que de tout avoir. Tant que les merveilles rêvées ne se laissent pas atteindre, elles possèdent la vertu de renfermer en elles des secrets magiques. Les paquets enveloppés de papiers de couleurs arrivent directement du ciel, ils sont parfumés d'air, de stratosphère, d'ozone, et plus ils approchent de la terre, plus ils se parfument de brume. Ils brillent comme si les étoiles dirigeaient sur eux leurs feux.

Nous n'étions pas de ceux qui désiraient.

Et seulement nous, et d'autres comme nous, peuvent décrire l'odeur des chocolats en forme de petits châteaux, d'animaux domestiques ou de lanternes, dont regorgeaient les grands magasins et les pâtisseries. C'est nous qui connaissions à fond la lumière, les lueurs, les crépitements des petites fusées à dix sous, nous qui restions là, les yeux ouverts sur le spectacle, en en respirant les étincelles jusqu'au bout.

Je ne connaîtrai jamais plus un Noël comme celui-là.

Il y avait Léna, Liliane, le va-et-vient des demoiselles, la solitude de ma mère qui avait pour moi des désirs et des ambitions, mais qui, ayant été abandonnée, n'avait pas un sou en poche. Le plus beau Noël de tous. S'il y avait des gens pour qui Jésus naissait le 25 décembre, nous étions ces gens-là, et tous ceux de notre espèce à travers le monde.

L'unique obstacle à la plénitude de notre enthousiasme, pas vraiment différent mais plus bouleversant que l'enthousiasme des enfants riches, c'était le froid.

Notre ville se trouvant au pied d'une chaîne de montagnes, elle était assaillie par le froid comme par un châtiment. Nous deux, nous avions des sabots, mais la plupart des autres enfants portaient encore les sandales de caoutchouc de l'été, cadeau miraculeux et extrêmement durable, il faut bien le dire, de Mussolini.

Nous portions des bas de laine, ou sinon de laine, d'une fibre semblable à la laine. Mais ils étaient en si piètre état, tellement en loques, que le talon, tout enveloppé qu'il soit de chiffons de laine supplémentaires, de rembourrages, de manches de vieux tricots roulées, finissait toujours par s'échapper par un trou pour se geler à l'air. Ceux qui avaient des sabots, c'étaient Léna et moi. Même, Léna possédait une vraie paire de bottines de cuir avec une semelle cloutée qu'elle avait achetées aux jours fastes, grâce à l'insistance pré-

110

voyante de Liliane. Elle les frottait à la graisse de vessie de porc, scrupuleusement, sans jamais sentir (pas plus que nous) l'horrible puanteur de cette graisse dès qu'elle se trouvait dans une pièce un peu chaude.

Quant à mes sabots, ils étaient en très bon état, vu que leur semelle ne s'était usée que de l'épaisseur d'un doigt au fil des ans.

D'autres enfants avaient aussi des sabots, mais la plupart étaient usés et ouverts sur le devant, de sorte qu'il ne leur restait plus qu'à se protéger les pieds avec de la bourre faite de bouts de lainages choisis avec soin chez le fripier, ou au moins avec de l'ouate et des copeaux mous.

Ceci, donc, en ce qui concerne le plus grave des problèmes de Noël: celui des chaussures.

Pour le reste, nous aussi nous célébrions Noël à notre façon.

Nous avions modelé des statuettes avec de la mie de pain, avec l'aide du «comptable», un oncle de Léna. Il nous avait enseigné à sculpter les statuettes de la crèche avec de la mie de pain, et quand elles étaient terminées, il les peignait avec beaucoup d'adresse.

Pendant que nous modelions nos statuettes, il nous racontait des histoires à propos de la guerre de 1914 et des tranchées du Carso, en mangeant des bonbons au miel.

Ainsi, nous eûmes nous aussi notre crèche, plus riche de mousse que toutes les crèches de toutes les églises mises ensemble. C'est nous qui allions cueillir la mousse sur les collines et qui l'exposions sur la route pour la vendre aux prêtres des églises et aux particuliers. Nous avions battu la colline avant les grands froids, nous avions cueilli de la mousse épaisse d'une paume, très fraîche, souple et parfumée. Je me demande encore quel plaisir pouvaient tirer ceux qui, pour faire leur crèche, achetaient de la mousse avec des sous. On nous avait toujours enseigné qu'il fallait la cueillir soi-même, quitte à s'en geler les mains. Jésus avait certainement plus de sympathie pour nous. Car c'était nous, au fond, qui le faisions naître, nous qui préparions pour lui un tapis moelleux, et nos bouts de chandelles, volés dans la sacristie, placés de chaque côté de l'étable, c'est pour lui qu'ils duraient jusqu'au jour des Rois, en brûlant nuit et jour.

Goffredo Parise

GOFFREDO PARISE, journaliste et écrivain, lauréat de plusieurs prix littéraires. Auteur d'œuvres nombreuses, il est né à Vicence en 1929.

Le troisième agneau

à-haut, sur les montagnes du Tyrol autrichien, les hommes du village de Fals ont toujours été sculpteurs. Il y a très longtemps, ils ne sculptaient que des saints, des madones et des statuettes pour la crèche, car ils croyaient fermement que c'était un péché de sculpter autre chose.

Arriva un temps où on ne leur commanda plus leurs merveilleuses statuettes religieuses, et les sculpteurs de Fals devinrent très vite pauvres et affamés.

Un après-midi, Dritte, le maître-sculpteur de Fals, trouva dans son atelier un enfant aux cheveux blonds qui jouait avec les animaux de bois disposés autour de la mangeoire sculptée de l'enfant Jésus. Frappé par la beauté du garçon, qui pourtant était en haillons et pieds nus, Dritte se demanda pourquoi personne ne lui avait enseigné que les animaux de la crèche ne sont pas des jouets.

Comme s'il avait lu dans la pensée de Dritte, l'enfant prit un agneau de bois et le porta à sa joue.

— Cela lui importe peu, dit-il. Il sait que je n'ai pas de jouets pour m'amuser.

Dritte en fut ému.

— Je sculpterai un agneau pour toi, mon fils, lui promit-il. Un agneau qui bouge la tête. Viens le chercher demain matin. Mais dis-moi, pourquoi ne t'ai-je jamais vu au village? D'où viens-tu?

— De là-bas, répondit l'enfant, avec un vague signe de la main vers le haut. J'habite là avec mon père.

Le jour suivant, bien avant midi, Dritte avait terminé l'agneau. Aussitôt, une jeune bohémienne qui tenait un bébé dans ses bras entra dans l'atelier. Elle demandait l'aumône d'un peu de nourriture. Le cœur de Dritte se serra, car il n'avait rien à lui offrir. A ce moment, l'enfant saisit l'agneau à peine sculpté, et quand Dritte le lui enleva, il se mit à pleurer de désespoir.

Dritte remit d'instinct l'agneau dans les mains du bébé dont le rire résonna dans l'atelier.

— Ainsi soit-il, soupira Dritte. Je sculpterai un autre agneau.

Plus tard dans l'après-midi, Dritte venait tout juste de terminer le deuxième agneau quand le petit Drino, un orphelin, vint le saluer.

— Quel bel agneau, dit-il. Puis-je l'avoir, s'il vous plaît? Demain, je vais à l'orphelinat et il me tiendra compagnie.

— Mais oui, prends-le, fit Dritte avec douceur. J'en ferai un autre.

Ainsi fut. Mais le garçon aux cheveux blonds ne revint pas et le troisième agneau resta là, abandonné, sur une étagère de l'atelier.

La situation dans le village continuait à s'aggraver. Dritte se mit à sculpter des animaux et des jouets pour les enfants, afin qu'ils en oublient leur faim.

Un jour, un marchand ambulant offrit à Dritte d'acheter tous les jouets qu'il réussirait à sculpter. Mais Dritte refusa de faire des jouets pour de l'argent.

— Je suis à l'auberge du village, si vous changez d'idée, dit le marchand.

— Je ne peux pas changer d'idée, monsieur. A moins que Dieu ne m'envoie un signe.

Peu après, le curé du village vint à l'atelier et demanda à Dritte le troisième agneau, qui se trouvait toujours sur l'étagère.

— C'est pour la petite Marthe qui est très malade.

— Oui, bien sûr, répondit Dritte. Je le lui apporterai moi-même.

Comme il revenait de la maison de Marthe, dans un champ couvert de neige, il vit tout à coup devant lui le garçon aux cheveux d'or.

— Mon cher enfant, s'écria Dritte. J'ai gardé jusqu'à aujourd'hui le troisième agneau, mais tu n'es jamais venu. Je serai heureux de t'en sculpter un autre.

Mais l'enfant secoua la tête.

— Je n'ai pas besoin d'un autre agneau, dit-il. Les agneaux que tu as donnés au petit gitan, à Drino et à Marthe, tu me les as donnés à moi aussi.

Alors, le garçon ouvrit les bras, et dans la lumière mystérieuse qui émanait de lui, Dritte vit l'ombre d'une croix sur la neige.

Il avait enfin compris, et il tomba à genoux.

— Tu comprends, Dritte? dit l'enfant en souriant. Faire un jouet peut servir à la gloire de Dieu autant que de sculpter un saint. Le rire d'un enfant heureux est aussi agréable à Dieu que la louange de ses anges.

Un instant après, l'enfant avait disparu.

Ce soir-là, Dritte se rendit à l'auberge trouver le marchand.

— Je ferai les jouets que tu désires, dit-il.

— Ainsi, murmura le marchand, tu as changé d'avis?

— Non, répondit Dritte, avec des larmes plein les yeux. Mais j'ai reçu le signe de Dieu!

Mala Powers

MALA POWERS, actrice américaine, est aussi l'auteur de *Fables de tous les jours,* transmises dans le cadre d'émissions télévisées pour enfants.

NOËL
DANS LES TRADITIONS

Les origines de la fête de Noël

oël n'a pas commencé comme on le croit d'habitude avec la naissance du Christ. Ses origines remontent beaucoup plus loin dans le temps et nous ramènent aux fêtes très anciennes qui célébraient le solstice d'hiver, les 21 et 22 décembre. C'est à ce moment que les jours allongent et que le soleil «renaît» pour rester de jour en jour plus longtemps dans le ciel.

Les Romains célébraient cette fête pour rendre hommage à Saturne, le dieu de l'agriculture, et pour lui demander une bonne récolte.

Certaines des caractéristiques de notre fête actuelle existaient déjà: pendant les saturnales, en effet, on puisait volontiers dans les provisions d'hiver (le soleil revenu, bien qu'encore loin de sa splendeur, était le signe du printemps proche, porteur de fruits et de nourriture), et les amis et parents échangeaient de précieux cadeaux.

Tout le bassin méditerranéen connaissait les mêmes manifestations de joie. Par exemple, en Égypte, on fêtait la naissance du dieu solaire Horus, fils d'Osiris. En Grèce, on célébrait celle de Dionysos. Dans les pays scandinaves, on se souvenait le 25 décembre de la venue au monde de Frey, le fils d'Odin et de Frigga.

Puis, vint le christianisme, et la commémoration de Noël tomba d'abord le 25 avril, puis le 24 juin et aussi le 6 janvier.

Mais les premiers Pères de l'Église furent troublés par la survivance des fêtes païennes et par la fascination qu'elles continuaient à exercer sur le peuple.

Pour cette raison, ils décidèrent de la christianiser et, en l'an 336, ils déplacèrent la date de la naissance de Jésus au 25 décembre, de façon à ce que l'hommage rendu au dieu païen soit transféré au nouveau et vrai Dieu.

Cette tactique se révéla sage, même si, au début, les difficultés furent nombreuses. Souvent, en effet, saint Augustin dut répéter à ses frères chrétiens: «Souvenez-vous qu'en ce jour nous fêtons non pas la naissance du soleil, mais la naissance de celui qui l'a créé.»

La crèche

En 1223, saint François d'Assise eut l'idée de monter la première crèche, dans une grotte de Greccio. La crèche est donc une tradition italienne.

Saint François aimait le Seigneur de tout son être, et il voulait rappeler aux hommes que Jésus était né dans la pauvreté et dans la gêne. Pour ce faire, il monta un véritable petit «théâtre de pantomime», avec un vrai âne et un vrai boeuf. Il sculpta un petit bébé et le déposa dans une mangeoire. La nouvelle se répandit et une foule de gens se mit en route à la lueur de torches et grimpa, par le sentier escarpé, vers la grotte. François leur parla avec beaucoup d'émotion.

Le jour de la naissance de Jésus, saint François était si heureux qu'il souhaitait que tout le monde soit aussi heureux que lui. Et pas seulement les hommes, mais aussi les oiseaux et tous les autres animaux. Car les oiseaux, les poissons, les loups et les agneaux, avec les fleurs, et la lune et les étoiles et le feu et tout ce qui fut créé sont les frères et les soeurs de l'homme.

François voulait convaincre l'empereur de promulguer un édit obligeant les hommes à donner généreusement, à Noël, aux pauvres autant qu'aux oiseaux, au boeuf et à l'âne.

Nous qui avons vécu avec François et qui avons consigné ces souvenirs, nous l'avons souvent entendu dire:

— Si je pouvais parler avec l'empereur, je le supplierais, et je le convaincrais de faire une loi spéciale, pour l'amour de Dieu et de moi: qu'aucun homme ne capture ou ne tue nos soeurs les alouettes, qu'aucun homme ne leur fasse du mal. Au contraire. Tous les podestats des villes, tous les seigneurs des châteaux et des villages, le jour de Noël, devraient commander aux gens de jeter dans les rues, hors des villes et des châteaux, du froment et d'autres céréales, pour que nos sœurs les alouettes et les autres oiseaux aient de quoi se nourrir en ce jour solennel. Et par respect envers le fils de Dieu que, cette nuit-là, la Vierge Marie déposa dans une mangeoire entre le bœuf et l'âne, il faudrait que quiconque possède un bœuf et un âne soit obligé de leur fournir généreusement de l'avoine. Aussi, que ce jour-là, les pauvres reçoivent des riches d'excellentes et copieuses provisions (tiré de *Miroir de perfection*).

Le succès de l'idée de la crèche, diffusée d'abord par les franciscains, puis par les dominicains et enfin, par les jésuites, fut étonnant et s'imposa dans tout le monde catholique.

Peu à peu, les personnages en chair et en os se transformèrent en statuettes de bois, de pierre ou de terre cuite. A certaines époques, et particulièrement au XVIIIe siècle napolitain, la crèche devint un symbole de richesse. Chez les nobles, c'était à qui commanderait à ses artisans la plus belle crèche.

Les cloches

n sait que toutes les fêtes chrétiennes sont saluées par le son des cloches.

Qui, en effet, annonça aux hommes la naissance d'un Rédempteur? Les anges. Et ne sont-ce pas les anges qui ont inventé les cloches pour qu'à travers elles on puisse entendre leur voix?

En réalité, les cloches ont été introduites dans les églises assez tard, soit vers le IXe siècle. Auparavant, pendant des millénaires, de petits gongs de bronze avaient permis à l'homme d'entrer en contact, par le biais de leur tintement, avec les mystérieuses harmonies du monde surnaturel.

La bûche

l est dit que la bûche protège la maison du danger.

C'est une des traditions païennes répandues en Europe depuis la nuit des temps pour fêter le solstice d'hiver. On allumait des feux de joie, symboles modestes mais significatifs de la nouvelle chaleur du soleil. Cette tradition païenne est encore vivante dans de nombreuses régions de l'Italie et dans plusieurs pays.

En Ombrie et en Émilie, dans les Marches et dans les Abruzzes, on fait brûler une grosse bûche d'olivier jusqu'aux premiers jours de janvier. A ce moment, les cendres sont répandues dans les champs et les vignes comme augure de bonnes récoltes.

Dans les Pouilles et en Calabre, on recouvre la bûche de lierre et on l'entoure de douze bûches plus petites pour représenter les douze apôtres.

En Sardaigne, on jeûne devant le feu jusqu'à minuit.

Une belle tradition toscane veut que les portes de la maison restent ouvertes aux hôtes de passage, tant qu'une souche brûle dans l'âtre.

Le sapin

eu de gens savent que la coutume de décorer le sapin est née en Égypte. En effet, l'arbre était en réalité une petite pyramide de bois qui imitait les gigantesques pyramides et était un symbole culturel et propitiatoire.

Un voyageur rapporta de la terre des pharaons cette idée en Europe. Une partie des populations germaniques, scandinaves et russes l'adoptèrent pour célébrer le solstice d'hiver, le retour du soleil et, la chaleur, dont l'Égypte était le symbole.

Un disque solaire surmontait la pyramide. Plus tard, les arêtes de cette figure géométrique furent garnies de bâtonnets auxquels on mettait le feu. Si le feu atteignait la pyramide, l'année serait non seulement heureuse mais très fructueuse.

Ce fut Martin Luther qui, au dire de certains, remplaça ce simulacre égyptien par le sapin, qui rappelait la pyramide par sa forme.

Ses branches toujours vertes pouvaient être, même en plein hiver, un présage de printemps. Ce sont les luthériens qui eurent l'idée de couvrir l'arbre de petites bougies, pour remplacer les bâtonnets de bois. Leur lumière représente la vie et la foi.

Voici une des belles légendes qui entourent l'arbre de Noël.

Il était une fois, en Allemagne, il y a très longtemps, un bûcheron.

En rentrant chez lui par une nuit d'hiver claire mais glaciale, l'homme fut ébahi par le merveilleux spectacle des étoiles qui brillaient à travers les branches d'un sapin recouvert de neige et de glace.

Pour expliquer à sa femme la beauté de ce qu'il venait de voir, le bûcheron coupa un petit sapin, l'apporta chez lui, et le couvrit de petites bougies allumées et de rubans.

Les petites bougies ressemblaient aux étoiles qu'il avait vu briller, et les rubans à la neige et aux glaçons qui pendaient des branches.

Des gens virent l'arbre et s'en émerveillèrent tant, surtout les enfants, que bientôt chaque maison eut son arbre de Noël.

Le gui et le houx

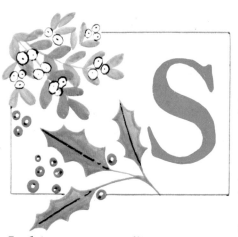

aviez-vous que le gui et le houx sont le symbole de la vie qui continue? La légende nordique qui raconte l'antique origine du gui et du houx comme symboles de bonne fortune et de paix est paradoxalement une histoire de haine et de sang.

On raconte en effet que Balder, fils d'Odin, fut tué par son ennemi mortel, Loki, avec une flèche taillée dans une branche de gui. Odin maudit la plante, mais l'épouse du dieu pleura dessus. Ses larmes furent miraculeusement transformées en petites baies blanches comme des perles.

Selon la volonté d'Odin, le gui ne pénétra plus dans les temples où il était considéré comme une plante sacrée. Il fut remplacé par le houx, buisson sur lequel Balder était tombé, transpercé par la flè-che de son ennemi. Pour récompenser cette plante, dernière cou-che de son fils, Odin la fit demeurer verte toute l'année et la couvrit de baies rouges, en mémoire du sang de son fils bien-aimé, Balder.

En réalité, il semble que les deux plantes aient fait partie des rites druidiques. Les druides, qui étaient des prêtres celtes, voyaient dans leurs feuilles toujours vertes le symbole de la perennité de la vie et celui du printemps proche. Voici donc encore une origine païenne de deux traditions que le christianisme a adoptées: les larmes de l'épouse d'Odin sont devenues celles de la Vierge, et le sang de Bal-der celui du Christ.

Le Père Noël

ien loin, au Pôle Nord, dans la rue du Gel, habite le Père Noël. Capuchon, veste et pantalon rouges garnis de fourrure blanche, bottes noires, et barbe blanche qui laisse entrevoir deux joues rondes et roses.

C'est l'image traditionnelle du Père Noël.

Une fois par année, le monde occidental l'acclame comme le papa de tous les enfants. D'après les enfants, il habiterait au Palais des Neiges, rue du Gel, au Pôle Nord.

Tous les enfants qui lui écrivent à cette adresse reçoivent une réponse. L'Association du Tourisme d'Oslo se charge de cette tâche, de même les Postes Canadiennes pour les enfants de ce pays. Sans doute en est-il ainsi en beaucoup d'autres pays du monde.

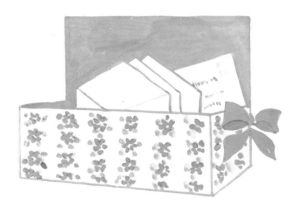

Les joueurs de cornemuse

rands et petits, nous attendons avec impatience les joueurs de cornemuse. Ces bergers, qui font de la musique en gardant leurs troupeaux, descendent dans les villages et les villes d'Italie à Noël. Ils viennent pour la plupart du Latium, des Abruzzes et de Calabre.

Le joueur de cornemuse est vêtu d'un pantalon court, d'une veste de futaine, d'une pèlerine (remplacée en certains endroits par une pelisse de mouton), d'un bonnet de laine à pompon et de galoches à lanières. Au temps de la Nativité il se rend dans les villages et s'arrête à chaque maison pour jouer un air de Noël. Il est souvent entouré d'un groupe de femmes et d'enfants qui accompagnent sa mélodie sur des instruments rustiques comme le triangle, la guimbarde ou les castagnettes. Son répertoire se compose de pastorales, de litanies, d'hymnes et de contes de Noël. Parfois, au cours de sa tournée, le cornemuseur apporte aux notables de la localité qui l'accueille des cuillers de bois et d'autres objets taillés au couteau par les bergers.

La cornemuse a pour ancêtre la flûte de Pan. Elle est faite de tuyaux en bois d'olivier reliés à un sac de peau qui fait fonction de réservoir d'air.

128

Le jour des Rois

L'Épiphanie est le jour de la «Manifestation», et devint une fête officielle en 813. Avant cette date, les fêtes de Noël duraient douze jours de suite. Le dernier était réservé au souvenir de l'étoile qui avait guidé les Mages jusqu'à la grotte du Messie.

Au Moyen Age, les rois d'Espagne et d'Angleterre représentaient eux-mêmes cette scène.

En France, on choisissait un roi parmi les prêtres en partageant une grande galette dans laquelle une fève avait été dissimulée. Qui recevait la portion contenant la fève était proclamé «roi de la fève».

Ailleurs, on présente en ce jour des pièces de théâtre de circonstance, comme «La fête de l'étoile».

En Italie, la fête de l'Épiphanie est devenue celle de la «Befana». La Befana est une poupée de chiffon que le 6 janvier les femmes et les enfants avaient coutume de suspendre aux fenêtres. Dans certaines régions, on assure qu'elle descend par la cheminée la veille de l'Épiphanie. C'est pour cette raison qu'on dépose devant le foyer des bottillons, des chaussettes et des paniers, que la Befana remplira de cadeaux.

Au cœur de la nuit, lorsque la bûche agonise dans l'âtre, voici la vieille aux cheveux blancs noués sur sa nuque, la Befana. Elle va de toit en toit, en portant sur ses épaules le lourd sac rempli de cadeaux, et elle épie par les lucarnes.

Lorsqu'elle aperçoit les chaussettes suspendues au manteau de la cheminée chez les enfants qui ont été sages, elle descend, et elle y dépose des cadeaux. Quels cris de joie, au matin, lorsque la maisonnée s'éveille et que les enfants vident leurs chaussettes!

Les cadeaux qu'apporte la Befana depuis la nuit des temps et qui rappellent les présents que les Mages firent à l'enfant Jésus, réservent parfois des surprises désagréables: les enfants capricieux et désobéissants pourraient bien trouver que leur chaussette a été remplie de morceaux de charbon, de cendre, d'ail et d'oignon...

La nuit de l'Épiphanie est teintée de légende dans l'imagination populaire. En Romagne, on dit que la nuit de l'Épiphanie les murs deviennent du lait caillé et les bêtes se parlent entre elles. C'est pour cette raison que les paysans les soignent particulièrement bien les jours précédents. Sans quoi, elles diraient du mal d'eux.

NOËL
DANS LE MONDE

Italie

oël chez toi, Pâques où tu veux.» C'est un dicton italien, car en Italie, Noël est une fête de famille. Les émigrants rentrent même d'aussi loin que l'Australie pour se retrouver avec leurs parents, autour de la table, devant le feu.

La fête dure plusieurs jours et s'accompagne de visites aux parents et aux amis, même aux amis que l'on ne voit pas le reste de l'année. On joue aussi à la tombola (bingo) avec les enfants. Celui qui mène le jeu invente des phrases ainsi: 1, le maître de maison; 33, l'âge du Christ-Roi; 88, des lunettes, et ainsi de suite.

Dans les écoles, ce sont les premiers examens et, juste avant la fermeture des classes, on monte des représentations de circonstance. A l'église, on prépare la crèche, et on célèbre la neuvaine par des cérémonies diverses. Les chanteurs, des enfants le plus souvent, répètent avec enthousiasme les cantiques de la messe de minuit.

Naples est la patrie par excellence de la crèche.

Les sculpteurs, autrefois appelés «figuriers» et «madoniers», étaient devenus, en 1700, des travailleurs spécialisés encouragés par le roi de Bourbon, Charles III. La reine Amélie de Saxe cousait elle-même les vêtements des statues.

La coutume de la crèche est aussi très vivante à Rome. La crèche la plus importante est celle de l'église Ara Coeli, près du Capitole.

Sur la Piazza Navona, des dizaines de marchands offrent, sur leurs éventaires, des objets tous plus bizarres les uns que les autres pour servir à monter les crèches. Il n'y a pas de petit Romain qui ne visite la Piazza Navona. Il y a là aussi le cornemuseur, qui joue des cantiques de Noël, et le Père Noël dans son traîneau. Les cadeaux qu'il apporte symbolisent toutes les grâces et les faveurs que Jésus fait aux hommes.

Le jour de Noël commence avec la messe de minuit que fréquentent même les personnes qui n'ont pas l'habitude d'aller à la messe. La plus belle description d'une messe de minuit se trouve sans doute dans le chapitre 6 du *Petit monde d'autrefois*, de Fogazzaro, un écrivain italien qui raconte le ravissement de Luisa devant la divine présence, et l'amour du professeur pour Esther, qui le pousse à entrer dans l'église en dépit de ses idées laïques. Sans parler du savoureux prélude, chez l'ingénieur: «... C'était la veille de Noël, et l'idée folle de ces gens sages, la décision qui paraissait incroyable à l'ingénieur, était d'aller à l'église pour assister à la messe de minuit.

— Et cette pauvre victime! dit-il, en regardant la petite fille. Franco rougit et fit remarquer qu'il souhaitait lui préparer ainsi de précieux souvenirs: ce départ en barque, la nuit, le lac obscur, la neige, l'église remplie de lumière et de gens, l'orgue, les chants, la sainteté du moment. Il parlait avec chaleur, pas tant pour l'oncle que pour une autre personne qui, elle, se taisait.

— Oui, oui, oui, fit l'oncle de l'air de celui qui s'attendait à cette rhétorique, à cette poésie de pacotille.

— Moi aussi! Du punch! fit la petite.

L'oncle sourit.

— Eh bien! En voilà au moins un, de bon souvenir!

Franco, en entendant démolir ainsi sa subtile préparation de souvenirs religieux et poétiques, s'assombrit.

— Et Gilardoni? demanda Luisa.

— J'y suis presque, répondit Ismaël, en sortant avec sa lanterne...»

En attendant les offices religieux, la famille s'attable au traditionnel réveillon, composé surtout de poisson et de fritures de toutes sortes. Pour le repas de Noël, au contraire, on mangera du chapon farci. Aucune table ne sera dépourvue de «panettone», qui est une brioche aux œufs et aux raisins, ni de mandarines, de vin mousseux, de nougat. Pour ce qui est des gâteaux, cependant, chaque région conserve jalousement ses coutumes propres. En Ligurie, on mange le Panarello, dans le Latium, c'est le Pangiallo (ou pain jaune),

en Toscane, le Panforte (ou pain fort), le Parrozzo (ou pain rude) dans les Abruzzes, le Panducale (ou pain du duc) en Ombrie; en Sicile, on mange la cassate aux amandes, en Campanie, le nougat et la «pastiera», tandis qu'en Emilie on consomme le Panpepato (ou pain au poivre), en Calabre, la «Pasta China», et à Vérone, le Pandoro (ou pain doré).

L'attente de minuit est vécue différemment selon les régions. Ignazio Silone, un autre écrivain italien, a décrit quelques-unes des coutumes abruzzaines:

«La nuit de Noël, nous avions l'habitude de laisser la table dressée, la porte entrouverte, et de déposer un lampion sur la table, pour que les fugitifs, tous les pauvres fuyards poursuivis par la justice, puissent entrer se restaurer en échappant aux carabiniers. C'est une ancienne coutume de charité chrétienne qui, selon moi, ne devrait pas disparaître.»

A Rivisondoli, toujours dans les Abruzzes, on monte une crèche vivante, dans un paysage de neige, et toute la population va rendre hommage à la Sainte Famille pendant la nuit de Noël. La Sainte Vierge est choisie par voie de concours et peut même être une étrangère.

En Sicile, en Basilicate et en Calabre, on allume des feux sur les places publiques. Chaque famille apporte un morceau de bois et au moment d'allumer le feu on échange des vœux. La même coutume est reproduite dans les maisons: le chef de famille allume la plus grande bûche, et on dispose tout autour autant de bûches plus petites qu'il y a de membres à la famille.

Dans la province de Cosenza, et dans beaucoup d'autres localités, on nourrit particulièrement bien les animaux, afin qu'ils ne critiquent et ne maudissent pas leurs maîtres lorsqu'à minuit ils recevront, par exception, le don de la parole.

En beaucoup d'endroits on laisse la table dressée, et s'il reste des bouteilles fermées, on les débouche, pour que l'enfant Jésus puisse manger et boire ce dont il aura envie.

L'enfant Jésus apporte des cadeaux aux enfants la nuit de Noël. Le matin, les rues sont remplies de bambins qui se montrent les uns les autres les cadeaux qu'ils ont trouvés sous l'arbre ou à côté de la crèche pendant la nuit.

Espagne et Portugal

ans l'un de ces deux pays, l'Espagne, un proverbe dit: «Qui fait la crèche mangera.» C'est donc une tradition bien vivante dans ce pays. Toutefois, ce furent les Italiens qui apportèrent en Espagne la tradition de la crèche, mais bientôt, les Espagnols étaient devenus de très habiles artisans dans ce domaine.

La crèche la plus célèbre est celle de Salzillo, que l'on peut admirer au musée de Murcie, et qui se compose de 556 statuettes.

Dans les villages andalous, on monte des crèches vivantes pour venir en aide aux pauvres. Ceux qui se rendent visiter la crèche y laissent quelque chose: des volailles, des couvertures, et d'autres cadeaux qui permettront à une famille démunie de passer tranquillement Noël. Une autre belle coutume espagnole veut que l'on accueille chez soi un nouveau-né pauvre à qui on aura acheté ou fait soi-même un trousseau neuf.

Les chants de Noël espagnols varient beaucoup d'une région à l'autre. On les appelle «villancicos», et ils sont chantés sur un rythme de flamenco.

Les enfants attendent des cadeaux des Mages. Dans les campagnes, ils laissent à la porte leurs pantoufles remplies d'avoine pour les chameaux des rois.

Une autre coutume veut qu'un enfant soit nommé évêque, et qu'on lui donne pleins pouvoirs du 6 au 28 décembre. Pendant cette période, le jeune évêque — que l'on a pris soin d'habiller selon ses fonctions — recevra des honneurs et des acclamations.

Les friandises de Noël espagnoles sont le massepain (pâte d'amande) et le nougat.

Autrefois, dans les Pyrénées, les femmes faisaient cuire des petits pains en forme de cailloux, les garnissaient de laurier et les faisaient bénir, le 25 décembre, en mémoire de la lapidation de saint Étienne.

Au Portugal, tout le monde assiste à la messe de minuit, et à la sortie de l'église, les employeurs offrent à leurs employés des marrons rôtis arrosés de vin. Les enfants préparent des flambeaux avec des branches de hêtre, de bouillon-blanc et de genévrier, avec lesquels ils se rendent en procession jusqu'à l'église, où ils les éteignent.

Aux premières heures du matin de Noël, les familles portugaises consomment la «consoada». La bûche brûle dans les cheminées et aussi dans les cimetières, parce que d'anciennes croyances disent que les âmes des morts rôdent pendant la nuit de Noël. On laisse, du reste, la table dressée pour les défunts.

France

l faut que les enfants de France mettent leurs souliers ou leurs sabots dans la cheminée pour que l'enfant Jésus les remplisse de cadeaux.

Les adultes, quant à eux, échangent des cadeaux au Nouvel An.

Après le réveillon, on laisse la table dressée, au cas où la Sainte Vierge passerait par là. Le repas de Noël se compose de dinde aux marrons, de jambon cuit au four, de salades, de gâteaux, de fruits et de vin. En Alsace, on mange de l'oie. Dans la région parisienne, on consomme des huîtres et la traditionnelle bûche de Noël.

Les Français aussi aiment les crèches. A Aubagne, on façonne des personnages de terre cuite appelés «santons».

C'est en Provence, berceau des troubadours, que sont nés les «noëls», ces chants qui sont à l'origine des différentes pastorales. Nous connaissons tous cette délicieuse mélodie du XVIIIe siècle: «Il est né, le divin Enfant». Dans certaines villes de Provence, le fils aîné se rendait aux champs et abattait le plus vieil arbre à coups de hache. Ensuite, il le traînait jusque dans la cuisine et le remettait à son grand-père. Celui-ci l'arrosait de trois verres de vin et l'appuyait contre l'âtre pour l'allumer, dans la joie générale. Puis, les enfants se postaient aux fenêtres pour jeter de la monnaie aux pauvres. Ceux-ci allumaient des lampions pour chercher l'argent et pour remercier leurs bienfaiteurs par une «petite flamme de lumière».

D'autres coutumes immuables en France sont celle de la bûche et celle du feu de joie. On allume la bûche pour réchauffer l'enfant Jésus. Puisque cette tâche importante lui est dévolue, on la décore de guirlandes.

En Bourgogne, on chante des cantiques jusque dans les auberges, sans jamais être vulgaire; l'un d'eux dit: «Venez, petits enfants. Jésus est aimable. Il vous sourit et dit: jouez avec moi.»

En Bretagne, le réveillon qui suivait la messe de minuit se composait autrefois seulement de pain et d'eau, pour se mettre à l'unisson de la sainte famille de Bethléem.

En Auvergne, il y a le rite de la chandelle, une grosse bougie de couleur que l'on sort pendant le réveillon. Le plus âgé fait un signe de croix sur la chandelle, puis il la souffle, puis il la passe à la personne qui est à côté de lui. Celle-ci recommence, et ainsi de suite, tant qu'on n'a pas fait le tour de la table.

Autrefois, dans une petite ville de Normandie, les bergers se rassemblaient devant l'église. Au-dessus d'un toit voisin tout illuminé apparaissait une grosse étoile au milieu de torches et de feux de bengale. Alors, les bergers entraient à l'église pour adorer l'enfant Jésus.

Dans la région de Carpentras, à la fin du réveillon, on transplante dans un vase une rose de Jéricho, parce que c'est sur cette plante que la Sainte Vierge étendait, pour qu'elle sèche, la lessive de Jésus. On donne aussi aux pauvres des sachets pleins de berlingots.

A Paris, on fait la crèche à côté de l'arbre. Le personnage qui plaît le plus aux enfants est le «ravi», un personnage sympathique, comme son nom l'indique, qui rit en portant une lanterne pour éclairer son chemin jusqu'à la crèche.

Belgique et Luxembourg

es usages de ces deux pays se ressemblent.

Les enfants circulent dans les champs avec des carillons, et ils quêtent dans les rues de la nourriture pour le nouveau-né.

Les petits Flamands mettent devant la porte leurs sabots garnis d'avoine pour l'âne de saint Joseph. Au matin ils les découvrent pleins d'oranges, de caramels et de petits pains appelés «coquilles».

A Bruxelles, sur la grand-place, on danse en costume traditionnel, et lorsque sonnent les cloches de minuit, soixante-dix mille lanternes illuminent la ville. Au réveillon, on mange surtout des huîtres et du poisson. On nettoie la maison à fond pour cette fête. On prépare aussi un gâteau avec une fève: celui ou celle qui reçoit la portion contenant la fève est élu roi ou reine de Noël.

Grande-Bretagne

l semble que Noël soit arrivé en Grande-Bretagne en 596 par l'intermédiaire de saint Augustin de Canterbury et de ses moines.

Tous les ans, le maire de Glastonbury, dans le comté de Somerset, coupe des branches de ronces et les donne à la reine Elisabeth II pour qu'elle en orne sa table.

Au lieu de la bûche, en Angleterre, dans le Devon, on fait brûler un fagot de frêne. Le frêne est un arbre magique que les devins consultaient autrefois pour en tirer des oracles pendant qu'il brûlait.

Au Pays de Galles, on se souvient du cheval chassé de l'étable pour faire place à Jésus, Marie et Joseph. On dit que depuis ce temps, un cheval gris rôde, en quête d'un abri.

A Noël, en Angleterre, on fait aussi beaucoup de musique dans les rues couvertes de neige. Les enfants se réunissent en bandes et font le tour de la ville. Dans les maisons, le sapin entouré de cadeaux est de rigueur.

A Londres, on installe aussi dehors un grand arbre que l'on décore avec des petites lampes.

Les enfants attendent des cadeaux du Père Noël qui descend pendant la nuit dans la cheminée avec son sac rempli de jouets, et qui dépose des cadeaux dans les chaussettes qu'ils ont suspendues au pied de leur lit. Les enfants écrivent au Père Noël et envoient leur lettre au Groënland. Certains vont jusqu'à lui téléphoner!

Au réveillon de Noël, on mange l'oie ou la dinde, farcies aux pommes de terre rôties, et le plum-pudding (composé d'oeufs, d'amandes, de raisin, de fruits confits et d'épices) qui doit cuire quatre heures. Toute la famille se relaie pour brasser le mélange. Le pudding est servi sur un plateau décoré de gui et de houx. On en offre aussi aux amis qui viennent échanger des voeux.

Les Écossais, quant à eux, portent leur kilt à carreaux et jouent de la cornemuse.

Dans l'Irlande catholique, une des coutumes les plus répandues consiste à illuminer les fenêtres des maisons. La veille de Noël, le maître de maison allume une bougie dans une courge évidée. Il la décore avec des branches de sapin tandis que les autres membres de la famille tiennent une autre bougie dans leurs mains, s'agenouillent et prient. Quand ils ont fini de prier, la bougie du plus jeune est déposée au centre de la table et les autres sont placées sur chaque fenêtre. Elles visent à indiquer leur chemin à Marie et à Joseph.

Pour les Irlandais la fête de saint Étienne est aussi importante que la fête de Noël. Pour les enfants, l'événement majeur est le cortège des roitelets.

Garçons et filles se lèvent à l'aube et endossent des costumes de toutes les couleurs. Certains enfilent des haillons et se noircissent le visage. Ailleurs, on porte des passe-montagnes faits à la main ou des masques. Ainsi costumés, les enfants forment des cortèges et chantent au son des violons, des harmonicas, des accordéons et des trompettes. Ils tiennent de longs bâtons auxquels on a fixé des bouquets de houx. On s'imagine que cette verdure cache et protège un roitelet. A l'époque des druides, on cherchait à connaître l'avenir à l'aide du chant des roitelets.

Autriche

e son puissant des trompettes annonce du haut des cathédrales autrichiennes la naissance de Jésus.

L'Autriche catholique a donné naissance au chant le plus célèbre et le plus cher, «Stille Nacht», que nous connaissons sous le titre de «Sainte Nuit».

«Ô nuit de paix,/ Sainte nuit,/ Dans le ciel l'astre luit./ Dans les champs tout repose en paix,/ Et pourtant, dans l'air pur et frais,/ Le brillant chœur des anges/ Aux bergers apparaît.»

Ce chant magnifique fut interprété pour la première fois dans l'église de saint Nicolas, à Obendorf, près de Salzbourg. C'était la veille de Noël 1818, et le père Mohor avait été appelé pour baptiser un nouveau-né.

La nuit était particulièrement claire et les étoiles brillaient comme des perles dans le firmament bleu. Le prêtre fut touché par cette paix tranquille et écrivit d'un jet les paroles devenues célèbres: «Stille Nacht, heilige Nacht». Plus tard, son ami le maestro Franz Gruber, écrivit la mélodie qui devait être jouée à l'orgue, mais... les souris s'en mêlèrent. Les petites bêtes avaient grugé le clavier. Pour contenter le bon père Mohor, Gruber confia sans grand enthousiasme sa mélodie aux cordes d'une vieille guitare. L'effet fut saisissant. Depuis cette lointaine nuit, il n'y a pas de pays au monde où l'on ne chante ce noël incomparable.

Au Tyrol survit la coutume des crèches réalisées avec des figurines sculptées dans le bois. Les jeunes filles, la veille de Noël, préparent le fameux strudel, un gâteau typique fait de fruits et de noix, et aussi des paquets qu'elles donneront aux pauvres le jour de Noël. Les montagnards, quant à eux, apportent du sel bénit à leurs bêtes en sortant de l'église.

Les Autrichiens sont des gens délicats et gentils. Ils n'oublient pas ceux qui ne peuvent fêter Noël chez eux: ils décorent les gares pour souhaiter un heureux Noël aux voyageurs.

A Vienne, il y a la traditionnelle promenade dans le parc où les enfants et les adultes donnent des miettes de pain aux oiseaux.

A Salzbourg, l'arbre et la crèche sont préparés d'une façon très particulière. Il s'agit d'une construction qui figure l'histoire de l'humanité, jusqu'à l'avènement du Christ. Depuis la représentation du péché originel, on illustre, chaque jour, un grand moment de l'histoire du Salut: le prophète Isaïe, l'Annonciation, etc., jusqu'à la naissance du Rédempteur. À Noël, on couche l'enfant dans la crèche, et on surmonte la grotte d'une brillante étoile. Lorsque toute cette pyramide est illuminée, l'effet est fantastique.

Canada

es semaines précédant Noël, on voit apparaître des signes de la fête qui s'en vient. Les rues et les magasins sont décorés de guirlandes, de sapins et de rennes. Dans les grands magasins, tout le monde fait ses achats de cadeaux et de gâteries. La radio joue des airs de Noël. Les églises sont ornées de banderoles et, chaque dimanche, on allume une chandelle de plus sur la couronne de l'Avent.

Ce sont surtout les Français et les Britanniques qui ont fait grandir le Canada. Des coutumes de ces pays se retrouvent encore aujourd'hui: la messe de minuit suivie du réveillon; l'arbre de Noël décoré de boules et de guirlandes, avec à son pied les cadeaux bien enveloppés; la couronne de sapin, suspendue aux portes des maisons. Des gens de plusieurs pays sont venus habiter au Canada. Ils ont apporté avec eux les coutumes de chez eux: l'Ukraine, la Grèce, l'Italie, le Portugal, le Viet-Nam, le Japon, Haïti, l'Afrique... Et les premiers habitants du pays, Amérindiens et Inuits, fêtent Noël à la façon chrétienne, dans un décor de neige et de glace.

De plus, les habitants du Canada ont développé leurs propres traditions. Ainsi, le dessert typique de Noël, ce sont les beignes, qu'on appelait autrefois des «croquignoles». Les gens partagent avec ceux qui les entourent: ils achètent des cadeaux et les emballent avec soin, pour les donner à ceux et celles qu'ils aiment. Bien des personnes envoient des cartes de souhaits aux parents, aux amis qui demeurent loin. Des repas et des veillées réunissent des groupes de personnes pour, chanter et échanger des cadeaux.

Le temps des fêtes est aussi le temps du partage avec les gens qui sont moins riches. Des hommes passent de maison en maison pour la «guignolée», pour recueillir de l'argent et de la nourriture qui seront ensuite distribués aux démunis. Dans tous ces préparatifs, c'est l'esprit de Noël, l'esprit de l'enfant Jésus qui se révèle.

Pologne

l est d'usage, en Pologne, de s'asseoir à table quand la première étoile paraît. La veille de Noël, les enfants examinent attentivement le ciel et, dès qu'ils aperçoivent la première étoile, ils courent avertir leurs parents. Alors, tous se mettent à table et mangent le pain azyme. Le chef de famille rompt le pain et le distribue aux convives. En le mangeant, on échange des vœux. Après la prière, on soupe. On a coutume de mettre entre la nappe et la table une couche de paille. Les enfants prennent les brins un à un. Celui qui a le brin le plus long vivra le plus longtemps.

Il fut un temps où les jeunes filles déposaient leur peigne sous leur oreiller la nuit de Noël. Celui qui, en rêve, les coiffait, allait devenir leur mari.

La crèche est construite sur deux étages. Il s'agit d'une scène portable, appelée «szopka». Au premier étage, on voit la Nativité. A l'étage au-dessous, sont représentés des héros nationaux.

Les crèches de Cracovie sont célèbres. Elles ont même été exposées à Rome. Elles sont très hautes, très ornées, et ressemblent à des cathédrales.

La plus belle partie du Noël polonais, ce sont ses cantiques, surtout les «kolenda», dont la plupart remontent à l'époque baroque.

Le jour de saint Étienne, patron de la Pologne, les paysans apportent de l'avoine à l'église. Ils la font bénir, puis ils la lancent sur le curé, comme autrefois.

Suède

Il y a très longtemps, au IVe siècle, sainte Lucie, vierge chrétienne, subissait le martyre à Syracuse, sous le règne de l'empereur Dioclétien. Sa fête, le 13 décembre, marque, en Suède, le début des réjouissances de Noël.

En ce temps-là, sainte Lucie apportait de la nourriture à ses frères chrétiens, cachés dans les catacombes, et pour avoir les mains libres, elle avait fixé une lampe sur sa tête.

C'est pour cette raison qu'en Suède, à quatre heures du matin, la fille la plus jeune de la maison endosse une tunique blanche et pose sur sa tête une couronne tressée dans laquelle ont été plantées sept bougies allumées. Elle sert du café et des gâteaux au lit à toute sa famille. Les autres enfants l'accompagnent. Ils portent des chemises blanches et des chapeaux de papier.

La paille était autrefois très importante dans les coutumes de Noël, car on prétendait qu'elle avait des pouvoirs magiques. Aujourd'hui, on en fait des étoiles, que l'on suspend à l'arbre, ou des couronnes, ou des animaux, en particulier un chevreau, qui a pour mission de garder l'arbre. Un peu de blé est déposé sur les rebords des fenêtres à l'intention des oiseaux.

La veille de Noël, les fermiers rangent leurs instruments aratoires. Chaque membre de la famille reçoit une pyramide de pain, de biscuits et de fruits, et il trempe son pain d'orge dans le bouillon de cuisson du jambon de Noël. Presque partout en Scandinavie on met une place de plus à table, pour la première personne qui entrerait. La porte reste ouverte dans cette éventualité. Le réveillon se compose de poisson fumé, de jambon, de riz au lait, de vin chaud, de bière sucrée. Afin de rappeler que les premiers à recevoir le message des anges ont été les bergers, des enfants costumés vont de maison en maison porter des souhaits de «God Jul!»

Hollande et Danemark

l se nomme Sinter Klaas et, en Hollande, Noël commence le jour de sa fête, soit le 5 décembre. Sous ce nom se cache… saint Nicolas! Il se présente sous les traits d'un évêque majestueux monté sur un superbe cheval blanc et escorté par son fidèle serviteur noir muni d'un fouet pour fustiger les enfants qui ne méritent pas de cadeaux.

Sinter Klaas apporte des présents, comme saint Nicolas. Il se faufile partout, dans les cheminées aussi, et il prend la carotte que les enfants lui laissent pour son cheval.

En Hollande aussi on illumine tout et les souhaits de «Gelluking Kersems» (Joyeux Noël) résonnent partout.

Le jour de Noël, à midi juste, on reste debout en silence pendant trois minutes devant la dinde (ou l'oie) farcie aux pruneaux. La table est comble de gâteaux, presque tous faits à base de mélasse et d'amandes. Les plus traditionnels sont les «speculaas», ou pains d'épices en forme de personnes et d'animaux.

Au Danemark, ce sont les enfants qui ont pour tâche de décorer la table avec des fleurs et des objets qu'ils ont fabriqués eux-mêmes.

A Copenhague, on allume un mois à l'avance un arbre de Noël sur une grande place de la ville.

Les Danois cultivent une jacinthe dans un vase. Si elle fleurit à Noël, la tradition soutient que la maison sera protégée de la maladie. Le repas de Noël est très élaboré.

Le riz au lait dissimule une amande: celui ou celle qui la trouve recevra un cadeau plus beau et plus important.

Après le repas, on danse autour de l'arbre.

Norvège, Finlande et Laponie

l est déjà midi quand le soleil se lève en Norvège et deux heures de l'après-midi quand il se couche. Noël est donc assez court.

Les Norvégiens nourrissent un grand respect pour la sainteté de ce jour. Il fut un temps où il était interdit d'arrêter un bandit ou de couper des arbres dans la forêt le jour de Noël.

A l'école, les enfants apprennent à sculpter la cire. Au temps de Noël, ils créent de petits personnages et organisent des concours pour couronner le plus beau.

Typique de la Norvège est le «Noël des oiseaux»: on place aux

fenêtres de longs bâtons auxquels on aura accroché des grappes de millet. Les oiseaux viennent s'y poser en file.

Noël en Finlande est surtout la fête des lumières, qui sont de toutes les couleurs et très belles. La nuit de Noël, on se rend en traîneau à l'église, et c'est à qui arrivera le premier.

On mange le repas en silence. On dépose un peu de cendre de la bûche sur la nourriture. Le plat principal est composé de jambon froid, de petit salé, de hareng saumuré, de carottes râpées, de navets et de concombres. Après le repas, la famille se réunit autour de l'âtre pour boire un grog fait de vin rouge, de raisin et d'épices. Les gâteaux ont en général la forme de coeurs, d'étoiles ou d'animaux.

Les Lapons donnent du foin salé à leurs rennes et décorent leurs cornes. Le matin de Noël, les enfants trouvent dans l'iglou toutes sortes de cadeaux: des gants de fourrure, des couteaux en os de baleine, des défenses de morses.

Une des plus belles coutumes lapones veut qu'on laisse la porte ouverte pour que quiconque le désire entre et mange le «pain de l'allégresse». Au-dessus de la porte, on suspend une petite lanterne allumée.

Grèce,
Yougoslavie et Bulgarie

utant qu'ailleurs, le sapin a, en Yougoslavie, une place d'honneur. Tandis que la bûche brûle dans la cheminée, la famille remercie le Seigneur pour les bienfaits reçus pendant l'année et répand du vin et du grain sur la bûche en signe de gratitude.

Dans le Montenegro, on coupe de petits sapins dans la forêt pour les apporter à la maison la veille de Noël. Si quelqu'un a sommeil, il ne peut s'étendre que sur de la paille, en souvenir de l'inconfort que connut l'enfant Jésus la nuit de sa naissance.

En Grèce, on cultive la rose de Noël (ellébore) à laquelle sont rattachées de nombreuses légendes sacrées et profanes, que les grands-mamans racontent à leurs petits enfants au coin du feu. Les enfants reçoivent des cadeaux au premier jour de l'an. C'est saint Basile qui les leur apporte. Saint Basile était un pauvre homme. Afin de recueillir assez d'argent pour pouvoir étudier, il chantait dans les rues. Un jour que l'on se moquait de lui, le bâton sur lequel il s'appuyait fleurit, par miracle. La messe de Noël commence à quatre heures et se termine juste avant l'aube. Ensuite, toute la famille mange le «pain du Christ», appelé «Christpsomo». C'est une galette garnie de noix. On mange aussi des petites pâtisseries au miel.

En Bulgarie, pendant la neuvaine de Noël, les femmes ne font pas la lessive, car il faut que la Vierge soit seule pour laver les langes de l'enfant Jésus. Il y a une croyance curieuse: la nuit de Noël, on allume une torche. Si sa flamme oscille vers la gauche, c'est de mauvais augure. Si elle oscille à droite, cela signifie un départ sans retour. Si la flamme est droite, c'est signe de rectitude et de constance.

Russie

oël, dans la Russie soviétique, est un jour comme les autres. Mais pour ceux qui ont la foi, c'est une journée très différente, comme dans tous les autres pays.

Près de la crèche (verteb), qui ressemble au «szopka» polonais, toute la famille chante et prie.

Dans certains villages on décore le plus grand des sapins environnants. Les animaux domestiques aussi ont un cadeau: une botte d'avoine pour les chevaux, un morceau de gigot d'agneau pour les chiens, une écuelle de poisson pour les chats. Autrefois, en Russie, à Noël, les jeunes filles montaient l'escalier marche à marche, en disant «oui» et «non» pour savoir si elles allaient bientôt se fiancer, comme nous, nous effeuillons la marguerite. A la Saint-Étienne, on avait coutume de se fiancer devant tout le village et de se lancer des fleurs.

Aujourd'hui, beaucoup de traditions sont disparues. L'une d'elles, qui était très jolie, consistait à cacher dans l'arbre une petite cage renfermant des colombes qu'on libérait le soir de Noël pour s'attirer la chance.

La liturgie de Noël est grandiose. On la célèbre dans des églises très décorées et encensées. Voici le principal chant de Noël:

«Aujourd'hui, la Vierge met au monde le Supra-Substantiel.

Aujourd'hui, Dieu descend sur terre et l'homme monte au ciel.

Que t'offrirons-nous, ô Christ,

Toi qui apparais sur la terre et te fais homme pour nous sauver?»

Les familles conservent la coutume qui veut que l'on invite des amis à une liturgie domestique. Il y a aussi des repas particuliers, bien qu'aucun mets caractéristique ne soit lié à cette fête.

Certaines coutumes survivent encore en Ukraine, où l'on avait l'habitude de respecter un jeûne de 39 jours avant Noël. Lorsque pointait la première étoile, la famille s'assoyait à table et mangeait un repas de 12 services en souvenir des 12 apôtres. Une friandise toute spéciale était faite de grains de blé entier, macérés pendant plusieurs heures et aromatisés avec des graines de pavot écrasées et du miel.

Mexique

oël au Mexique est davantage vécu à travers les différentes représentations de la Nativité que par l'échange de cadeaux.

Les jours de la neuvaine sont appelés «posadas» (auberges). En effet, on voit défiler des processions de la famille de Nazareth qui vont de maison en maison à la recherche d'un abri. Les maisons ont leurs portes ouvertes pour montrer qu'on y est prêt à accueillir les voyageurs. Lorsque le cortège arrive à une maison (ou auberge) désignée d'avance, tous s'agenouillent et disposent des images sur l'autel illuminé. Après cette cérémonie, on sert des rafraîchissements et on danse. Les soirs qui précèdent Noël, les enfants s'amusent au jeu de la «pinãta». Les «pinãtas» sont des ustensiles de terre cuite suspendus à des cordes. Les enfants les cassent avec un bâton, les yeux bandés. Ils sont remplis de jouets et de bonbons.

Inde

ncroyable! En Inde, la messe de minuit dure de deux à trois heures! L'église est très ornée, dedans et dehors.

Les chrétiens se rendent visite. Les enfants chantent des cantiques de Noël un peu différents de ceux que nous connaissons. Ils échangent des présents faits de paniers de fruits, de fleurs et de gâteaux.

Au sud de l'Inde, les chrétiens remplissent d'huile de petites outres de terre cuite, font des mèches de coton tressé, et disposent ces lampes le long des murs extérieurs des maisons. Le souci de l'hospitalité est très vif à ce moment, et l'on fait l'impossible pour que chaque maison soit un havre de confort et de douce chaleur.

Les familles chrétiennes se rendent visite autant qu'elles peuvent, en profitant de chaque moment, même de la nuit. Quand elles se retrouvent, elles chantent et dansent au son de tambours et de cymbales. Le maître de maison offre du thali et des galettes.

Même s'ils ne sont pas chrétiens, les voisins sont très intéressés par cette fête des lumières et de l'amitié. Ils échangent des idées sur les différentes festivités qui se rapportent à la lumière. Il y a une fête hindoue qui symbolise la victoire de la lumière sur les ténèbres, et qui s'appelle Diwali.

États-Unis

ulle part comme aux États-Unis les traditions ne sont aussi variées, car les Américains les ont apportées de leurs divers pays d'origine.

Au centre des fêtes, il y a toujours le sapin décoré, l'échange de vœux, de cadeaux, de visites, et la messe de minuit. Dans le sud, on a coutume de faire du bruit avec des fusées et des feux d'artifice. En Alaska, les enfants vont de porte en porte avec une étoile illuminée pour offrir leurs souhaits, et ils s'arrêtent pour boire quelque chose de chaud. Au Nouveau-Mexique, on allume des bougies qu'on place dans des petits sacs de sable, et on les dispose un peu partout pour éclairer la route de l'enfant Jésus. Dans les campagnes on mange de la viande, des fèves, des pommes de terre et des oignons, et aussi des beignets, des pâtisseries et du café.

La célébration de Noël, aux États-Unis, particulièrement dans le Massachusetts, était interdite jusqu'en 1861.

Il n'y a donc pas de véritable tradition de Noël propre aux États-Unis. Noël est salué par des festivités diverses qui ont presque toutes pris naissance en Europe.

LE NOËL DES ENFANTS

Flocon de neige

Ma maman a adopté un pauvre enfant du Cambodge parce qu'il était seul au monde et qu'il pleurait tout le temps.

Quand ils l'ont amené à la maison, mon papa l'a tout de suite appelé Flocon, car il est arrivé un jour où il neigeait.

Moi, je suis très content qu'il soit là, et nous sommes devenus amis. Il a appris quelques mots de français et il sourit, parce qu'il mange à sa faim.

Quand il sera grand et qu'il me demandera pourquoi nous sommes frères, je dirai que c'est parce qu'il est descendu du ciel comme un flocon de neige, le jour de Noël.

Max — 7 ans

Bonne fête

Ma maîtresse a dit de t'écrire une petite lettre parce qu'à Noël c'est ton anniversaire. Je te fais tous mes vœux et te prie de veiller sur toute ma famille. Dans ma maison, il y a deux pièces, trois petits lits, une fenêtre et un chaton noir, petit, petit. J'aime beaucoup ma maison, et j'aimerais qu'un jour tu viennes la voir. Si tu viens, dis-le-moi, comme ça, maman pourra préparer un plus grand gâteau, mais si tu n'as pas le temps de me prévenir avant de venir, ça ne fait rien: je te donnerai la moitié de mon morceau.

Salut et bonne fête, de ton amie Marisol.

Marisol — 7 ans

Merci Jésus

Merci Jésus pour ton Noël
Merci pour la musique que j'entends aujourd'hui
Merci pour les cadeaux que j'ai reçus aujourd'hui
Merci pour maman et merci pour papa
Merci pour mon petit frère qui m'agace
Mais qui m'aime beaucoup.
Merci Jésus pour la lumière de la crèche
Pour les agneaux blancs qui la rendent belle
Merci pour la lune et les étoiles du ciel
Merci d'être mon ami
Merci, merci, petit Jésus.

Richard — 8 ans

Je t'attends

Salut, petit Jésus. Grand-maman m'a dit que tu allais venir même s'il a neigé et s'il fait très froid. Je suis toute seule parce que maman est partie travailler. Elle est triste, ces jours-ci. Tu sais pourquoi? Parce que papa n'a pas de travail et que dans quelques mois j'aurai un petit frère tout neuf. Maman dit qu'il faut préparer le berceau et les vêtements, mais pour cela, il faut des sous. S'il te plaît, donne du travail à papa; comme ça, tout le monde sera plus content et maman sera moins fatiguée.

Quand tu viendras, n'oublie pas de mettre un manteau et des gants, parce que le vent, ici, est très froid.

Je t'attends!

Lory — 6 ans

Pourquoi est-ce que personne ne les écoute?

Tous les ans, à Noël, le pape dit la messe sur la place Saint-Pierre, et il y a beaucoup de gens autour, et l'orchestre joue, et on comprend tout de suite que c'est une grande fête, parce que les cloches sonnent et on les entend partout dans Rome. Tous les ans le pape fait des vœux à tout le monde en tant de langues différentes, et tout le monde applaudit, toujours, à chaque discours, comme s'ils étaient tous chinois ou tous anglais. Tous les ans, à Noël, le pape parle à la télévision pour dire au monde qu'il doit faire la paix, et à chaque année, la guerre dont il parle est une guerre différente. Il a à peine prié pour l'une, qu'une autre éclate. Tous les ans, à Noël, le pape annonce aux hommes la naissance de l'enfant Jésus. On dit que le pape, tout le monde le connaît, et que l'enfant Jésus, tout le monde le connaît. Alors, comment se fait-il que personne ne les écoute?

Jean — 8 ans

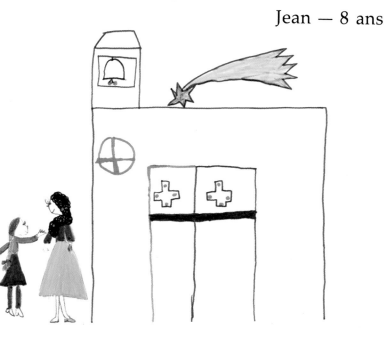

167

Le souper
avec les anges

Je suis une petite fille de dix ans et j'habite dans un petit village où il y a une petite route qui descend vers la mer, et la petite route est blanche tant il y a de cailloux. Autour du village, il y a des chèvres, quelques chiens, et beaucoup de sauge. Les gens sont tranquilles et les femmes tricotent et les hommes vont à la pêche et ils portent tous un béret de laine que leur a fait leur femme. Au printemps, dans mon village, il y a beaucoup de fleurs, et l'hiver, au contraire, le vent souffle très fort et les hommes ne peuvent pas aller à la pêche. La nuit de Noël est très belle dans mon village, parce que tout le monde prie autour du feu avec la télévision allumée, parce qu'à minuit, par les antennes qui sont sur les toits, les anges descendent dans les maisons, puis ils sortent de la télévision, et ils restent à souper avec les gens qui mangent du gâteau de riz avec du poivre et de la sauge.

Malin (Irlande) — 10 ans

(Tiré de *Lettres de demain*, de R. Battaglia)

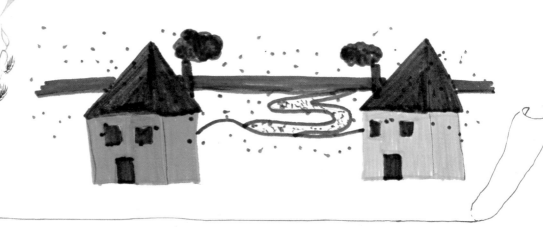

168

Le village-crèche

Je vis dans un village assez grand, mais les maisons sont proches les unes des autres et assez basses. Souvent, quand on revient le soir, papa dit: «Regardez, les enfants, comme c'est beau. Le village ressemble à une crèche.»

Un jour, justement à Noël, j'ai demandé à papa pourquoi mon village, la nuit, ressemblait à la crèche, et il m'a répondu qu'il ressemblait à la crèche parce qu'il est silencieux, recueilli, et que toutes les maisons sont allumées et donnent un sentiment de paix, juste comme une crèche.

«Il manque la grotte», j'ai dit. Et papa a répondu: «Chaque fois que de ta maison monte un sentiment de paix et de joie, ta maison se transforme en crèche.»

Nathalie — 7 ans

Les anges
sur le fleuve de Mao

Cher Jésus, je suis une petite fille heureuse parce que j'ai un papa et une maman très bons et cinq petits frères. Mais parfois, je suis triste: quand beaucoup de pluie tombe du ciel et que mon papa doit aller sur le fleuve Yang-tsê-kiang avec sa jonque. Tu sais que notre fleuve est dangereux, et même si mon papa est habile et qu'il sait nager, quand le ciel est gris et qu'il pleut, j'ai peur. Aujourd'hui que c'est ton anniversaire, je te demande de veiller sur papa et d'envoyer tes anges sur le fleuve. Envoie ceux qui sont venus te chanter une berceuse quand tu es né.

Ling Ching — Chine

171

Cher papa

Je t'écris cette lettre pour Noël parce que la maîtresse a dit qu'il faut écrire à nos parents pour les remercier. Aujourd'hui, c'est l'anniversaire du petit Jésus, et c'est aussi le mien, car si tu te rappelles bien, moi aussi je suis né le 25 décembre. Comme je ne te vois pas parce que tu es loin, je t'envoie mes vœux par la poste. Cette nuit, je vais demander au petit Jésus de te faire te rappeler comment j'étais quand j'étais petit et combien maman était belle. Comme ça, peut-être que tu reviendras avec nous et que nous serons heureux comme la Sainte Vierge et saint Joseph, et que nous serons encore comme la Sainte Famille.

Marcel — 8 ans

Une crèche
dans le cœur

Ces jours-ci nous avons aidé la maîtresse à préparer la crèche. Maurice a apporté des personnages, Marcel a apporté de la mousse, et moi des moutons. Nous nous sommes bien amusés, mais la maîtresse a dit qu'il fallait qu'on fasse une crèche encore plus belle dans notre cœur. Je n'ai rien compris, mais elle nous a expliqué comment faire. Il faut être gentils, aider maman, et ne se chicaner avec personne. Il me semble que j'ai été un bon garçon, même à la maison où il y a ma petite sœur Myriam, qui m'embête tellement.

Fabrice — 8 ans

Dis à grand-papa que...

Joyeux Noël, petit Jésus, je t'écris pour te dire que je suis content que tu sois venu au monde pour que nous soyons tous frères. Merci de nous avoir envoyé un missionnaire qui nous parle de toi. Mais mon grand-papa n'y croit pas et il dit que les missionnaires racontent tous des histoires. Fais-lui comprendre, à grand-papa, que ce ne sont pas des histoires, et que tu es le Sauveur des Noirs aussi, parce que pour toi la couleur de la peau ce n'est pas important. Le missionnaire a dit que pour toi toutes les couleurs étaient belles, le noir, le blanc, ou le jaune. Maintenant, je te laisse, mais souviens-toi de faire comprendre à grand-papa que tu es le père de tout le monde. Salut, Jésus, et merci!

Ton Mbanga.

Mbanga Fanguene — Zaïre

Nuit de neige

J'aimerais beaucoup que cette année il neige la nuit de Noël pour que tout le monde puisse échanger des voeux tandis que des milliers de dragées blanches et froides descendraient du ciel, comme cela arrivait dans les contes que me racontait ma grand-mère.

J'aimerais surtout que tous les hommes de la terre comprennent que dans la vie ce n'est pas important d'être riche, ce qui compte c'est de s'aimer et de sentir que nous sommes tous frères.

Je pense que ce serait merveilleux si le message de paix, d'amitié et d'amour que Jésus vient nous donner était écouté par tous les hommes de bonne volonté, et pas seulement à Noël, mais tous les jours de l'année.

Marthe — 9 ans

Ça n'arrive qu'à Noël

A Noël des tas de belles choses arrivent. Dans les rues, les gens font beaucoup d'emplettes et il y a beaucoup de voitures. Mais personne ne se fâche parce que tout le monde bloque la circulation pour les mêmes raisons. On le sait, et cela arrive parce que c'est Noël. Puis, dans les magasins, presque personne ne dit «c'est pour moi», mais «c'est pour telle personne». Et tout le monde cherche des choses jolies et agréables à l'autre. On dirait que plus personne ne se chamaille et que tout le monde s'aime.

Moi, je m'amuse beaucoup, parce que je m'imagine que quelqu'un pense à moi et m'aime.

Bernard — 8 ans

Ce n'est pas un conte

La nuit de Noël, comme nous étions ensemble pour le réveillon, mon cousin m'a dit que l'enfant Jésus n'a jamais existé, et qu'il est une invention des grands. Moi, je n'ai pas répondu parce que je ne savais pas quoi dire, mais cela m'a bouleversé.

Après le repas, nous sommes allés à la messe de minuit avec maman et papa, et moi, je me demandais pourquoi tant de grandes personnes allaient jouer, la nuit, dans une église, pour une histoire inventée.

L'Église était sombre et remplie de gens silencieux. Il y avait une douce musique, et bientôt on vit des lumières s'allumer autour d'un berceau, au pied de l'autel. Tout à coup, toute l'église s'est illuminée et un chœur a chanté le Gloria que les anges ont chanté la nuit de la naissance du petit Jésus, et j'ai vu un bébé dans le berceau.

Tous les gens à genoux priaient comme les bergers devant la mangeoire du petit Jésus. Il y avait vraiment beaucoup de monde et personne ne parlait. Moi, je ne sais pas encore comment prier, mais j'ai compris que ce n'est pas du tout la même chose que de raconter des histoires.

François — 9 ans

Une place dans mon lit

Chez moi, la nuit de Noël, on fait brûler dans la cheminée la bûche la plus belle. Puis, nous nous réunissons pour le souper, mais avant, nous déposons un peu de chaque plat dans une assiette à côté de la bûche. Comme ça, si le petit Jésus a faim, il peut manger et se réchauffer. Après minuit, nous allons nous coucher contents parce que nous savons que si l'enfant Jésus naît il n'aura pas froid et il n'aura pas faim, et même, il peut être tranquille parce que nous lui faisons de la place dans notre lit pour qu'il ne soit pas obligé de dormir dans l'étable. J'ai souvent rêvé que le petit Jésus venait près de moi, mais je ne l'ai jamais vu. J'espère qu'il viendra tôt ou tard, parce que je l'aime beaucoup.

Marie-Claire — 7 ans

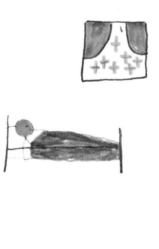

Un nouveau petit frère

Cher Jésus, je suis une petite fille très heureuse, et je chante de bonheur. Tu sais déjà pourquoi. Ma grand-mère m'a dit que tu as été le premier à le savoir. Mais je veux te le dire quand même. Ce matin, maman est revenue de l'hôpital et elle a amené avec elle un petit bébé tout petit. C'est mon nouveau petit frère. Il s'appelle Albert. Il a une petite touffe de cheveux noirs comme ceux de papa, mais je ne sais pas encore quelle est la couleur de ses yeux parce qu'il les garde toujours fermés. Je pense qu'ils sont comme ceux de maman qui sont bleus comme les bleuets. C'est fantastique! C'est mon plus beau cadeau de Noël! Merci parce que le petit frère est arrivé. Mais merci aussi parce que maman est revenue à la maison. Moi, je ne connais pas ta maman, mais elle doit ressembler à la mienne. J'aimerais bien que tu la rencontres: pourquoi ne pas venir faire un tour un après-midi? Tu verrais mon nouveau petit frère, et moi je connaîtrais ta maman! Je t'attends!

Marie-Claude — 8 ans

180

Il n'y avait pas de place

Pendant que je préparais la crèche à l'école avec mes camarades et la maîtresse, j'ai pensé: «Aujourd'hui, je vais demander à maman de me laisser monter une crèche à la maison, peut-être dans le salon, en tout cas, là où tout le monde qui viendra pourra la voir.»

Je suis arrivé tout content à la maison. J'imaginais déjà ma crèche. Maman est revenue du travail plus fatiguée que d'habitude. Je la regardais, et je n'arrivais pas à lui dire, pour la crèche.

Puis, j'ai pris mon courage à deux mains, et je lui ai demandé:

— Maman, tu ne veux pas me laisser faire une crèche dans le salon au lieu de décorer l'arbre?

Elle préparait la lessive et elle m'a dit d'arrêter de dire des bêtises.

— Il y a déjà assez de désordre dans cette maison!

Je sais qu'elle travaille beaucoup, et sûrement que ce soir-là elle n'en pouvait plus, mais j'ai pensé que notre maison sans crèche serait comme les auberges de Bethléem qui n'avaient pas de place pour le Seigneur. Les aubergistes non plus ne voulaient pas que quelque chose désorganise leur vie.

Francis — 9 ans

Je voudrais...

Cher petit Jésus, il y a tellement de jouets nouveaux que j'aimerais te demander pour Noël, mais il me semble que l'occasion est trop importante et que je dois en profiter au maximum...

Je veux te demander ce que personne d'autre ne peut donner à une petite fille comme moi. Je voudrais voir une étoile de tout près, je voudrais entendre un grillon qui chante en été, je voudrais tenir dans mes mains une fleur des champs, je voudrais voir naître un agneau et le serrer dans mes bras.

Je voudrais que la dame d'en-dessous sourie quand je lui dis bonjour, et je voudrais que monsieur Henri, qui habite au quatrième et qui ne peut plus marcher, apprenne à voler avec son imagination (moi, je saurais le lui enseigner!), je voudrais aussi que Marise, ma compagne de classe, qui est handicapée aussi, apprenne à lire, comme ça je lui écrirais de longues lettres, l'été, quand elle reste toute seule avec sa grand-mère.

Peut-être que je veux trop, Jésus, mais à qui veux-tu que je demande ces choses, sinon à toi?

Simone — 9 ans

182

Seulement de l'amour

A la veille de Noël
Les enfants
Demandent à l'enfant Jésus
De leur apporter
Des cadeaux
Mais ils ne savent pas
Que l'enfant Jésus
N'apporte
Que de l'amour.

Joseph, enfant paraplégique,
en fauteuil roulant — 8 ans

Table des matières

185

NOËL DANS LES TRADITIONS

NOËL DANS LE MONDE

LE NOËL DES ENFANTS